D1085825

LES FANTÔMES DE
MONSIEUR JACQUES

TOME 1

LES ÉDITIONS LA SEMAINE
Charron éditeur inc.
Une société de Québecor Média
1055, boul. René-Lévesque Est, bureau 205
Montréal (Québec) H2L 4S5

Directrice des éditions : Annie Tonneau
Directrice artistique et couverture : Lyne Préfontaine
Coordonnateur aux éditions : Jean-François Gosselin

Illustration de couverture : Maxime Lacourse
Photo de l'auteure : Maxyme G. Delisle
Réviseures-correctrices : Nathalie Ferraris, Luce Langlois, Françoise de Luca
Infographie : Echo international

Toute ressemblance avec des personnes réelles ou des événements ayant déjà eu lieu est purement fortuite.

L'éditeur bénéficie du soutien de la Société de développement des entreprises culturelles du Québec (SODEC) pour son programme d'édition.

Nous reconnaissons l'aide financière du gouvernement du Canada par l'entremise du Fonds du livre du Canada pour nos activités d'édition.

REMERCIEMENTS
Gouvernement du Québec (Québec) — Programme de crédit d'impôt pour l'édition de livres — Gestion SODEC

Dépôt légal : quatrième trimestre 2014
Bibliothèque et Archives nationales du Québec
Bibliothèque et Archives Canada

ISBN (version imprimée) : 978-2-89703-216-6
ISBN (version électronique) : 978-2-89703-261-6

Francine Allard

LES FANTÔMES DE MONSIEUR JACQUES

TOME 1

La mort entraîne la mort

Illustration :
Maxime Lacourse

Une société de Québecor Média

DISTRIBUTEURS EXCLUSIFS

- Pour le Canada et les États-Unis :
MESSAGERIES ADP*
2315, rue de la Province
Longueuil (Québec) J4G 1G4
Tél. : 450 640-1237
Télécopieur : 450 674-6237
* une division du Groupe Sogides inc.,
filiale du Groupe Livre Québecor Média inc.

- Pour la France et les autres pays :
INTERFORUM editis
Immeuble Paryseine, 3, Allée de la Seine
94854 Ivry CEDEX
Tél. : 33 (0) 4 49 59 11 56/91
Télécopieur : 33 (0) 1 49 59 11 33
Service commande France métropolitaine
Tél. : 33 (0) 2 38 32 71 00
Télécopieur : 33 (0) 2 38 32 71 28
Internet : www.interforum.fr
**Service commandes Export –
DOM-TOM**
Télécopieur : 33 (0) 2 38 32 78 86
Internet : www.interforum.fr
Courriel : cdes-export@interforum.fr

- Pour la Suisse :
INTERFORUM editis SUISSE
Case postale 69 – CH 1701 Fribourg – Suisse
Tél. : 41 (0) 26 460 80 60
Télécopieur : 41 (0) 26 460 80 68
Internet : www.interforumsuisse.ch
Courriel : office@interforumsuisse.ch
Distributeur : OLF S.A.
ZI. 3, Corminboeuf
Case postale 1061 – CH 1701 Fribourg – Suisse
Commandes : Tél. : 41 (0) 26 467 53 33
Télécopieur : 41 (0) 26 467 54 66
Internet : www.olf.ch
Courriel : information@olf.ch

- Pour la Belgique et le Luxembourg :
INTERFORUM BENELUX S.A.
Fond Jean-Pâques, 6
B-1348 Louvain-La-Neuve
Tél. : 00 32 10 42 03 20
Télécopieur : 00 32 10 41 20 24

« Le destin de l'âme est de retourner
dans le ciel, où elle doit recouvrer sa blancheur avant
d'entreprendre une nouvelle mission terrestre.
Il existe des liens de parenté entre
les âmes ; il y a même des âmes sœurs et elles
se cherchent et sont malheureuses tant
qu'elles ne se sont pas retrouvées. »

Le vieux chagrin,

Jacques POULIN

Chapitre

1

La terrifiante histoire que vous vous apprêtez à lire, je la tiens surtout de Marie-Laure, Jeanne, Justin et Simon, quatre compagnons de classe qui, au début de leurs aventures exaltantes, fréquentaient l'école des Pins, à Saint-Varèse, là où je leur enseignais la littérature dans le programme « Éducation internationale, musique et littérature ». C'étaient des jeunes de quinze ans qui avaient la particularité d'être des étudiants curieux et qui aimaient la lecture, comme vous d'ailleurs. La musique venait ajouter à leurs champs d'intérêt, mais devait être accompagnée des matières habituellement enseignées aux jeunes de troisième secondaire : les mathématiques, les sciences et les langues. Cinq heures d'éducation physique et d'activités sportives complétaient leur éducation.

Je m'appelle Jacques Toupin. Mes étudiants m'appelaient Monsieur Jacques et je me suis retrouvé au centre d'étranges événements qui ont fait, plus d'une fois, vaciller le quotidien de mes élèves.

Pourquoi m'y suis-je retrouvé ? À cause de la plus troublante des circonstances.

Je commence par le début. D'abord, je dois vous dire que ma classe était très peu nombreuse. Je devais enseigner aux sept jeunes de troisième secondaire dont les papas étaient mineurs à la mine de charbon Smothers. L'école des Pins desservait ainsi une trentaine d'enfants, répartis de la maternelle à la troisième secondaire (ma classe). J'avais été embauché quelques années auparavant et pour un jeune enseignant, de se retrouver trois ans de suite responsable de l'éducation de sept jeunes allumés, était une chance inouïe que m'enviaient plusieurs de mes collègues d'université. J'aimais lire, j'aimais la musique, j'étais curieux de tout et j'étais moi-même quelqu'un qui cherchait les défis les plus complexes, et il m'avait fallu déménager de Montréal pour aller enseigner à Saint-Varèse, un petit village minier éloigné de toute grande agglomération. Vous savez : pas de centre commercial, pas de bibliothèque, pas de piste de skateboard, pas d'aréna. Un village éloigné, composé d'une trentaine de maisons éparpillées le long d'une route poussiéreuse, aux abords d'une mine de charbon, propriété de Robert « Bob » Carson.

Cet Américain possédait deux mines de charbon, l'une à Saint-Varèse, l'autre à Clarandale. Il traitait bien ses employés et faisait en sorte que les enfants de ces derniers reçoivent une éducation toute particulière et à l'écoute de leurs besoins. C'est lui qui embauchait les professeurs. Je partageais donc cette responsabilité avec trois autres enseignantes dont deux s'occupaient du primaire et une autre qui enseignait avec moi aux élèves de secondaire. Elle s'appelait Janine Bouliane. Aucun danger que j'en tombe amoureux : elle n'était pas très féminine, mais surtout, elle devait avoir cinquante ans !

La vie de l'école des Pins de Saint-Varèse était importante, car en dehors des cours, il n'y avait pas d'autres endroits pour y passer du temps, sauf le centre communautaire, que les élèves avaient surnommé *La Boîte à Félix*, en l'honneur du chantre québécois Félix Leclerc.

Mes élèves semblaient être heureux à l'école des Pins. Ils faisaient partie d'un petit orchestre et d'un club de lecture qui présentait ses trouvailles tous les mois aux adultes du village, à *La Boîte à Félix*. Je n'avais pas de discipline à faire. Mes élèves étaient occupés par les pratiques de leur instrument, leurs romans, les travaux scolaires et les activités sportives. Ils patinaient tout l'hiver, arrosant et grattant eux-mêmes la patinoire extérieure. L'été, ils apprenaient les rudiments de la pêche et de la chasse au petit gibier, et ils organisaient des soirées de feux de camp et de contes d'horreur qu'ils partageaient avec tout le village. La vie ne leur semblait pas compliquée, comme elle l'est pour certains jeunes qui vivent dans les grands centres. Pas de textos, pas de courriels envahissants, pas de bruit incessant.

Je connaissais, tout comme mes collègues enseignantes, tous les élèves de la mine Smothers et leur famille. La plupart des mères travaillaient dans un des services offerts par le propriétaire, du salon de coiffure à la garderie *Les petits mineurs,* en passant par l'atelier de couture ou la comptabilité de la mine. Tous les hommes, comme je vous le disais, étaient des travailleurs miniers.

La vie se déroulait parfaitement jusqu'à ce qui devait arriver arriva.

* * * *

Il y avait des rumeurs qui circulaient : la mine Smothers allait fermer. Les élèves, les professeurs et les employés étaient nerveux. Sylvette Audet, la mère de Justin Audet-Prieur, était la secrétaire de monsieur Carson et en écrivant la lettre que lui dictait son patron, elle apprit que celui-ci devait songer à mettre fin aux activités de la mine de charbon. Évidemment, monsieur Carson la somma de n'en parler à personne y compris son conjoint. Comme son patron n'avait toujours eu qu'une parole, elle promit de ne dire mot à qui que ce soit. Cependant, au salon de coiffure et à la garderie, les rumeurs allaient bon train. Il fallut attendre pour confirmer la rumeur, car monsieur Carson voulait laisser le temps aux élèves de terminer leur année scolaire. Il ne dit donc mot, lui non plus.

Je rencontrai monsieur Carson le 16 avril, car je voulais acheter deux nouveaux instruments de musique pour deux de mes élèves et faire une petite razzia dans la liste des livres offerts pour le club de lecture d'été. J'entrai dans son bureau, habitué que j'étais d'y être toujours bien reçu. Robert Carson parlait au téléphone et c'est bien malgré moi que je l'entendis dire qu'il fermerait la mine le 15 juin. Je crois qu'il s'entretenait avec Maurice Sauvé de la Banque du commerce, puisqu'il discutait des indemnités qu'il devait verser à ses employés. Quand il m'aperçut, il blêmit, puis se mit à bafouiller :

— Monsieur Jacques, vous venez d'apprendre la nouvelle d'une bien mauvaise façon. Je vais bientôt l'annoncer. *I'm so sorry.* Toutefois, j'aimerais avoir votre avis. Je crois que je pourrai garder quatre hommes pour la mine de Clarandale.

— Mais, Monsieur, c'est dans le Grand Nord. Les hommes et leur famille ne voudront peut-être pas y aller. Et que ferez-vous de tous les autres ? lui demandai-je.

— Monsieur Jacques, c'est à prendre ou à laisser. Je ne peux plus supporter cette mine qui ne rapporte plus autant qu'avant. Je dois congédier mes employés, fermer la ville, l'école, le restaurant, tout. Il me manque quatre mineurs pour la mine Carson. Ceux qui voudront y aller auront une augmentation de salaire et toutes les conditions nécessaires pour élever leur famille. Sans doute devrez-vous m'aider à choisir, car je suis certain que j'aurai trop de candidats.

— Une sorte de jury ? suggérai-je.

— Un comité de sélection, plutôt.

Je le fixais comme s'il lui avait poussé un gros champignon au milieu du visage. Je comprenais qu'il me faisait confiance et qu'il n'allait pas me laisser tomber. J'aimais mes élèves, et monsieur Carson avait beaucoup investi pour qu'ils puissent poursuivre leur secondaire dans les meilleures conditions : les instruments, les livres, les ordinateurs, les uniformes de sport, *La Boîte à Félix*... Je ne pouvais rien lui refuser.

— Et moi, Monsieur Carson. Et les enseignantes ?

— Jacques, si vous voulez, je vous emmène à Clarandale avec moi. Là-bas, il n'y a pas beaucoup d'enfants et aucun n'a l'âge du secondaire. Les parents

14

ont à peine votre âge ; c'est compréhensible que leurs enfants ne soient pas encore à l'école. Mais si les pères de famille qui acceptent de me suivre ont des jeunes au secondaire, vous leur ferez la classe. Si vous acceptez, bien entendu. Il n'y a que vous pour leur apprendre toutes ces choses que vous connaissez.

Je réfléchissais. J'étais surtout très flatté qu'un homme aussi exigeant que monsieur Carson ait une telle confiance en moi et j'acceptai son offre. Mais je lui dis que j'allais y penser parce qu'il est toujours important de faire attendre les gens afin de ne pas ressembler à un opportuniste.

✻ ✻ ✻ ✻

Quand les familles apprirent officiellement la nouvelle de la fermeture de la mine Smothers, il y eut des pleurs et de la rage, des moments de désespoir, des craintes face à l'avenir. Une seule personne poussa un long soupir : Sylvette Audet, la secrétaire de monsieur Carson, qui avait retenu sa langue par fidélité. Elle n'avait pas voulu non plus énerver ses fils et décourager son mari, Robin.

— Tu le savais, Sylvette, et tu ne me l'as pas dit ? avait reproché son époux.

— J'avais promis. Mais j'ai espoir que Carson offrira des postes à la mine Carson de Clarandale ! Il me semble avoir entendu ça entre les branches. Alors, gardons espoir! Sinon...

— Sinon, je devrai me chercher un autre travail. Et la seule chose que je connais, c'est l'extraction du minerai. Je suis à la mine Smothers depuis que j'ai seize ans!

— Ne t'en fais pas. Nous sommes encore jeunes.

— Si tu sais quelque chose, cette fois, ne te gêne pas pour me le dire.

— Il faut informer Justin. Peu importe ce qui arrivera, il devra quitter ses amis, son club de lecture, *La Boîte à Félix*... Ce ne sera pas une sinécure.

— Je vais aller lui parler, conclut Robin Prieur.

Le lendemain matin, mes adolescents sont arrivés en classe avec l'enthousiasme de tortues sur le Ritalin. D'abord, ils se sont enlacés, les gars comme les filles, puis ils ont pleuré en disant être forcés de quitter le village et de se séparer.

Dans la lettre envoyée aux mineurs, il n'était pas question d'embauche à Clarandale. Cependant, Justin Audet-Prieur fut le premier à dire que son père allait travailler à cet endroit situé près d'un village autochtone du nord du Québec. Il ajouta que trois autres de ses amis suivraient. Jeanne Letendre fut la deuxième à dévoiler son secret, puis suivit Marie-Laure Coudrieux et, voyant qu'il ne manquait que lui, Simon Delisle avoua que son père était bien heureux de continuer de travailler pour monsieur Carson. Le «jury» — dont j'avais fait partie, je vous l'ai dit — en avait décidé ainsi. Étrangement, nous n'avions pas eu à travailler très fort : seuls ces quatre mineurs avaient manifesté leur désir de se rendre à Clarandale avec leur famille.

Je félicitai les quatre jeunes qui sautillaient de joie, et je réconfortai les trois autres élèves qui allaient s'en retourner dans la ville voisine.

— Il y a Internet, et la correspondance et le téléphone ; il ne faut pas vous en faire, dit Simon Delisle à ses camarades.

Moi, j'étais ravi de leur apprendre que j'allais continuer à être leur professeur. Mais d'ici au déménagement, ils devaient tous passer les examens du ministère de l'Éducation et être en forme pour la présentation du concert de l'orchestre. La pire nouvelle : Internet ne traversait pas les montagnes entourant la mine.

Chapitre

2

Clarandale était presque un pays en soi. Si vaste au creux d'une immense terre de conifères, l'endroit offrait une panoplie de lacs poissonneux, des sentiers balisés pour les balades en VTT, une végétation de froidure et un ciel si grand qu'on pouvait y observer l'arc formé par l'horizon. La première nuit, quand les camions nous déposèrent dans le petit village minier, nous avons fixé le ciel. Il était tellement étoilé qu'on aurait juré une étendue de poussières lumineuses au-dessus de nos têtes. La vastitude de notre planète telle qu'elle apparaît quand on est loin de toute pollution est impressionnante.

* * * *

J'étais chargé d'inscrire mes élèves, qui étaient au nombre de quatre — un rêve pour un enseignant —, et d'autres élèves de Clarandale qui, en très petit nombre, fréquentaient l'école primaire d'une certaine Sylvie Voisine. Je savais qu'à la rentrée, un jeune en deuxième secondaire se joindrait à mes étudiants qui atteindraient la quatrième secondaire.

Laissez-moi vous décrire le village minier de Clarandale. Une montagne, plutôt une grosse colline, représentait le fond du décor. Elle était recouverte d'épinettes noires. En contrebas, les installations de la mine Carson comprenaient une rue circulaire, sur laquelle se trouvaient une quarantaine de maisons toutes semblables, une petite église et un grand cimetière se déroulant comme une nappe carreautée sur une terre boisée. Une inscription en fer forgé très joliment ouvragé indiquait *Les Saints-Anges* et les stèles étaient semblables en tous points : pas de riches ni de pauvres, tous étaient égaux dans la mort.

Je décidai de visiter ce charnier géant et de m'amuser à lire les noms sur les pierres tombales. Je découvris des familles entières de MacPherson, Brouillette, Caron, Southières, Panneton, Greenberg et McGraw. Je tombai aussi sur un Smith, mort sans famille, et sur un bébé Hébert, décédé à quelques mois. Puis j'aperçus un caveau sur lequel on avait fébrilement inscrit une épitaphe qui relevait du mystère :

16 juillet 1935

Ci-gît Ferris O'Toole,

mort dans

l'effondrement

de la galerie six,

mais dont on n'a retrouvé

que la jambe droite

Étrange. J'appris qu'il n'y avait aucun curé pour les services funèbres. Quand il y avait un mort, Robert Carson faisait mander un prêtre de Chicoutimi pour les célébrations. Si la famille ne désirait pas de service religieux, il procédait lui-même à une cérémonie empreinte d'humanité et le corps était porté en terre sans autres procédures funéraires.

Il n'y avait ni fleurs ni lampions sur les tombes. Lorsque je quittai le cimetière, le soleil descendait sur la vallée et une rangée de saules ajourés formait un œil ouvert au nord de la petite ville minière de Clarandale. Un tableau que je n'allais jamais oublier.

* * * *

L'été se pointa. Contrairement à ce qui se passait dans le sud, le climat de Clarandale ressemblait à un réfrigérateur ouvert en permanence. À cause de la température, il n'y avait ni mouches noires ni maringouins. Mais le soir, il fallait porter un coton ouaté avec capuche pour nous garder au chaud.

Monsieur Carson m'avait demandé de m'occuper des activités des vacances afin que mes élèves s'habituent à leur nouvel environnement. Des kilomètres de forêt et une vaste contrée nous étaient offerts. Des VTT, des vélos, une Land Rover et même un petit bus appartenant à la compagnie allaient nous permettre des déplacements intéressants.

— Monsieur Jacques, nous allons pouvoir pêcher le saumon ! lança Marie-Laure.

— Il faut bien que monsieur Carson nous en donne plus, s'il veut que nous soyons heureux ici, répondis-je.

— Je suis très contente de poursuivre mes études avec vous, Monsieur Jacques. *L'aventure de l'âme et des choses continue,* comme vous le dites si souvent.

— Je vous proposerai des lectures pertinentes, dis-je. J'attends les caisses de livres.

Mes élèves étaient chanceux et j'espérais qu'ils s'en rendent compte. Tant de jeunes étaient désœuvrés durant les vacances d'été. D'autres devaient travailler pour amasser la somme nécessaire à leur prochaine année scolaire. Mes protégés allaient vivre des moments indescriptibles.

* * * *

Un autre jeune, comme je vous le disais, était déjà installé avec sa famille à Clarandale. Il faisait la classe avec sa mère à la maison. Comme il était de niveau secondaire, il fut entendu qu'il se joindrait à ma classe de quatrième secondaire. Mes jeunes accueillirent Thomas Hébert-Côté, âgé de 13 ans, avec un enthousiasme remarquable. Le jeune garçon, qui avait été éduqué à la maison, affichait une maturité exceptionnelle de sorte que, mêlé à des élèves de deux ans ses aînés, il s'adapta assez rapidement. Il était un as de la pêche au saumon et il avait lu tellement de bouquins qu'il égalait avantageusement mes quatre étudiants. De plus, sa mère était la comédienne Marie-Thérèse Hébert qui foulait les planches du théâtre Imago installé dans la capitale. Son fils Thomas lisait à haute voix comme un pro. Il nous en offrit un échantillon en nous lisant un extrait du *Petit Prince,* quelques pages merveilleuses et significatives au sujet de l'apprivoisement et de l'amitié, thèmes qui seyaient bien à notre nouvelle situation.

Nous prenions le temps de justement nous apprivoiser, tous les six, mes élèves et moi.

Une affaire insolite vint bousculer notre vie tranquille. Vous allez voir.

Chapitre

3

La première fois que nous eûmes des raisons de nous inquiéter, ce fut une semaine après le déménagement, comme on pourrait dire : d'une mine à l'autre.

J'avais l'habitude de m'intéresser aux phénomènes étranges, mais de ce genre, ce fut une première.

Un soir de la fin juin, nous étions assis autour d'un feu de camp chargé de branches d'épinettes qui craquaient très fort sous un ciel d'encre percé de millions d'étoiles (un prof de littérature se doit d'être poète, non ?). Nous planifiions une expédition en canot jusqu'au Bassin Meagan. Une petite fille de neuf ou dix ans s'avança vers notre groupe. Elle ne portait pas de chaussures et paraissait minuscule dans une chemise de nuit trop ample. Marie-Laure la salua et lui exprima notre surprise à tous de la voir ainsi s'approcher de nous sans aucune gêne.

— Allo ! Tu n'as pas froid ? lui demanda-t-elle.

— Ton papa travaille-t-il pour la mine ? risqua Simon.

L'enfant fixait les rubans formés par les flammes tout en tripotant une chaîne dorée surmontée d'un médaillon ancien. Elle ne répondit pas. J'intervins, comme tout adulte responsable.

— Tu veux t'asseoir avec nous ? On a des guimauves.

— Tu veux qu'on te prête une couverture ? s'enquit Jeanne.

La petite garda le silence et continuait à fixer le feu comme si nous n'existions pas. Nous l'observions tous.

— On dirait la *Agnès* de Victor Hugo, dit Thomas pour davantage impressionner ses camarades que moi-même.

— Comment t'appelles-tu ? demanda Marie-Laure.

Comme la fillette ne répondait pas, chacun y allait de sa présomption de prénoms à la mode et à chacun, la petite fille faisait «non» de la tête.

— Sarah? Émilie? Valérie? Maude?

Puis, comme si elle poussait un long soupir, elle répondit dans un long souffle:

— Gertrude Masson.

Ensuite, nous laissant totalement hébétés, elle retourna d'où elle était venue. Disparue, Gertrude Masson! Disparue du côté du cimetière. La petite fille s'éloignait du village où sa maison aurait dû se trouver.

Cet événement anodin, quand j'y pense et que je le compare avec la suite, sema l'émoi et une étrange curiosité chez mes cinq élèves, Marie-Laure et Jeanne, surtout. Rapidement, nous nous sommes mis à discuter de la beauté sauvage de Clarandale, de la fraîcheur de l'été, de la vie urbaine qui parfois nous manquait, de l'absence d'une connexion Internet, des lectures qui nous attendaient et du bonheur de jouer du saxophone debout sur la colline pour faire monter le son vers le ciel, crevant le silence de ces vastes forêts. On oubliait Gertrude Masson comme pour occulter la peur. Moi, je faisais semblant d'y croire, mais j'aimais mieux penser que l'un de mes élèves avait monté toute une scène avec la fille d'un voisin. L'imaginaire était un atout des plus précieux dans l'univers littéraire que je leur proposais.

J'étais heureux que mes élèves considèrent la lecture et la musique comme faisant partie de leur vie quotidienne. Au cours des trois dernières années, n'avais-je pas atteint le but ultime de devenir un « allumeur de réverbères » auprès d'eux ? Allumer de jeunes cerveaux en effervescence, leur proposer l'univers, stimuler leur profonde curiosité et y glisser le doute, celui qui aide à aller plus loin.

Mais toutes ces considérations ne nous informaient pas sur la présence et la disparition d'une petite fille blême, taciturne qui, à elle seule, avait troublé le calme de notre groupe.

— D'où venait cette jeune fille ? dit Justin.

— Je ne sais pas. On l'a tous vue qui se dirigeait du côté du cimetière. C'est de ce côté-là qu'il faut chercher, dit Simon.

— Elle était probablement juste somnambule, expliqua Jeanne. La prochaine fois, il faudrait la ramener à ses parents. À moins que vous croyiez à ces histoires d'esprits ou de morts vivants...

— J'y croirai tant qu'on n'aura pas trouvé une explication logique, dis-je. Vous l'avez vue comme moi : Gertrude est arrivée de nulle part et elle est repartie vers le cimetière. Ça ne vous tente pas de mener une enquête ?

Un long silence se fit. Alimentation du feu. Craquements. Soupirs.

— J'ai une idée, lança Justin.

— Ça t'arrive encore de temps à autre ? dit Simon avant d'éclater de rire.

— Écoutez ! L'été pourrait être long. Je propose que nous fassions la chasse aux sorcières, aux gnomes, aux fantômes, aux esprits maléfiques... continua Justin.

— Et aux jolies filles, ajouta Simon.

— Et nous, nous sommes des laiderons, je suppose ? opposa Marie-Laure. À part ça, elles sont où, ces autres jolies filles ?

— Revenons à Gertrude Masson, dis-je, heureux que mon équipe s'intéresse tout à coup à un sujet passionnant.

— Je suggère que nous formions une brigade où chacun aurait son rôle, dit Thomas, qui jusque-là n'avait pas participé à la discussion.

— Une brigade ?

— Un groupe de détectives pour faire des enquêtes. Vous n'aimeriez pas expliquer l'apparition de Gertrude Masson?

— Sa disparition, plutôt, ajouta Jeanne. C'est une très bonne idée, Petit Thomas.

— Oui, tu as raison, Petit Thomas. Tant qu'elle était là, il y avait plein d'explications. Mais quand elle a disparu... dit Marie-Laure.

Thomas se renfrogna aussitôt. L'idée que ses nouveaux amis l'appellent Petit Thomas ne lui plaisait pas du tout. Mais je n'intervins pas. Il fallait que chacun prenne sa place.

— On aurait tous un rôle précis à jouer, proposai-je. Selon les forces vives qui nous habitent.

— Moi, je suggère *La Brigade d'Hercule Poirot*! lança Justin. J'ai lu tous les romans d'Agatha Christie et je pense que si elle avait eu une brigade, elle aurait mis moins de temps à élucider ses énigmes.

— C'est ridicule ce que tu dis. C'est elle qui les inventait, ses énigmes, expliqua Marie-Laure.

— C'est Hercule Poirot qui les élucidait tout de même, conclut Simon.

* * * *

30

Ici, je dois vous parler de mes cinq élèves, passage obligé. Vous pourriez vous les imaginer comme vous le voulez. Je connais les jeunes et je sais qu'ils préfèrent aller droit au but : « Allez, montrez-les-nous, vos fantômes, faites-nous dresser les poils sur les bras, Monsieur Jacques! » Mais il y a, dans la littérature, des moments où il faut s'arrêter et accepter de lire les descriptions, les passages obligés, comme je vous le disais.

Jeanne Letendre, notre violoniste, avait les cheveux très noirs qu'elle portait juste assez longs « pour les attacher en queue de cheval ou en chignon », l'avais-je entendu raconter à sa copine. Elle était plutôt secrète, pas très loquace, et se révélait une lectrice redoutable. Dès qu'elle avait un moment de libre, elle sautait sur un roman qu'elle choisissait minutieusement après en avoir discuté avec un adulte avisé. Souvent, elle venait me demander des suggestions parmi les mille bouquins que j'avais fait transporter de Saint-Varèse à Clarandale, sous l'œil agacé de monsieur Dupuis, le responsable du déménagement. Puisque des « livrophages » faisaient partie de ma classe, je commandais également une trentaine de nouveaux livres à chaque fin de mois.

Ainsi, Jeanne avait 15 ans et demi et vivait avec ses parents, sa petite sœur Catou et leur grand-mère Simone, qui était la plus moderne des retraitées que l'on puisse imaginer. C'est cette dernière qui, lorsque nous recevions la commande de livres, les recouvrait d'une pellicule de plastique et consignait chacun selon le système Dewey, pour que l'on ait toujours une bonne idée de leur destination, puisque les bouquins étaient disponibles pour tous les habitants du village. La grand-maman de Jeanne était, en quelque sorte, la bibliothécaire en chef de Clarandale.

Louise Joubert, sa fille, était aussi bien à Saint-Varèse qu'à Clarandale l'une des trois éducatrices de la garderie du village, connue dans les deux villes sous le nom *Les petits mineurs*. Son mari, Pierre-Paul Letendre, était mineur et heureux de l'être. Jeanne disait toujours que son père était comme un vampire : plus heureux sous terre qu'en plein soleil.

Justin Audet-Prieur, lui, allait avoir 16 ans en septembre. Ses camarades l'appréciaient parce qu'il était capable de tout réparer, qu'il avait des solutions pour régler tous les problèmes et qu'il réussissait surtout à les sortir des pires situations, ce qui le rendait fier. Amateur inconditionnel de l'œuvre d'Agatha Christie, il aimait les romans de détectives et s'appliquait souvent à nous les raconter. Mais ses récits devenaient longs et pleins de rebondissements, car Justin ajoutait aux histoires qu'il racontait un nombre incalculable de détails.

Il m'a semblé qu'une relation particulière s'était développée entre Justin et Marie-Laure, et il fallait que je m'attende à ce genre de situation entre des gars et des filles du même âge, vivant en milieu assez clos. Aucun de Justin Audet-Prieur ou de Marie-Laure Coudrieux ne laissait rien paraître : il fallait un œil aiguisé comme le mien pour détecter la petite flamme qui devenait de plus en plus brûlante lorsqu'ils se retrouvaient tous les deux en interaction. Pour terminer, Justin était de taille moyenne, jouait du violoncelle, chantait très bien, et physiquement, il aurait pu participer au triathlon des Olympiques tant il était en forme. Son grand-père était un *Nuu-chah-nulth* de la Colombie-Britannique, duquel Justin tenait son goût pour la chasse et la pêche, et son grand respect pour la nature. Il était beau garçon, avait une crinière noire et la peau légèrement cuivrée.

Marie-Laure Coudrieux. Ah, Marie-Laure ! Ses parents étaient d'origine bretonne et la jeune fille avait un caractère bouillant qu'elle arrivait à contrôler. Blonde aux yeux très bleus, elle acceptait que les autres lui racontent des blagues de blondes, dans lesquelles les pauvres filles n'avaient pas trop de perspicacité. Sa mère, Carole Masse-Coudrieux, avait hésité avant d'appuyer son mari, Gérard, pour qu'il postule à la mine Carson, mais quand monsieur Carson lui avait dit qu'une coiffeuse serait très appréciée dans le petit village de Clarandale et sachant qu'une mise en plis chez les conjointes des mineurs pouvait leur apporter… une mise en forme, elle changea d'idée et la famille Coudrieux trouva son compte en déménageant à Clarandale.

Marie-Laure vivait quelque chose de particulier : sa petite sœur, Karine, qui avait 10 ans, était handicapée physiquement et Marie-Laure s'en occupait avec une énergie remarquable, entraînant avec elle tous les jeunes dans son sillage. Karine Coudrieux vivait sous la bienveillance de tout un village et Carole, sa mère coiffeuse, était très heureuse pour sa petite fille qui se développait avec sérénité. Marie-Laure jouait de la flûte traversière et de la guitare.

Quant à **Simon Delisle**, c'était le plus âgé de mes élèves. Je lui ressemblais au même âge. Je partageais avec lui plusieurs intérêts pour les oiseaux, les grands musiciens, les aventures de Tintin, et bien sûr, les grands écrivains français parmi la liste des Immortels. C'est avec lui que j'avais mes plus passionnantes conversations. Il était intelligent, mais pas très beau et il le savait. J'avais entendu dire qu'il était amoureux lui aussi de Marie-Laure, mais qu'il avait été éconduit à quelques reprises par elle au profit de son ami Justin. L'amour des filles le tenaillait et il entretenait des correspondances enflammées avec des filles de son école primaire, à Saint-Varèse. Lors des soirées autour du feu, Simon aimait nous raconter ses relations avec ses petites amies imaginaires, ce qui nous faisait bien rire. Il tenait ses correspondances avec énergie et mettait en scène, pour notre plus grande joie, toutes ses petites amies comme s'il s'agissait d'une pièce de Michel Tremblay.

Simon jouait de la contrebasse, mais rêvait de manier les percussions. J'allais y voir. Son père, Henri Delisle, était responsable des mineurs fraîchement arrivés à la mine Carson; il représentait une sorte de chef syndical de tous les employés auprès de monsieur Carson. Sa femme Jovette avait dégoté un travail au petit restaurant du village et elle cuisinait de merveilleux brownies aux pacanes qui faisaient mon bonheur.

Thomas Hébert-Côté n'avait que 13 ans. Comme je vous l'ai expliqué, il était déjà à la mine Carson depuis sa petite enfance et sa mère, une ex-comédienne, lui avait fait la classe à la maison, de telle sorte que Thomas avait acquis de très nombreuses connaissances connexes aux matières obligatoires du ministère. Il pouvait donc rivaliser avec ses camarades, qui, prétendaient-ils, avaient un siècle de plus que lui.

Thomas était vif d'esprit, ne jouait d'aucun instrument, mais avait appris à lire les notes avec sa mère, assez bien pour participer à mes cours de musique. Au sein de l'orchestre, il pouvait envisager de jouer les percussions ou éventuellement voir à sa direction. Thomas avait lu plein de romans, parmi les plus sérieux. Notre arrivée à Clarandale l'avait ravi. Il se trouvait très à son aise parmi notre groupe malgré le quolibet de Petit Thomas qui allait le suivre, selon mes prédictions. Il était châtain aux yeux verts, si cela revêt une certaine importance pour vous.

Clarandale possédait un bureau de poste intégré au petit marché d'alimentation Francœur, un restaurant, une garderie, un salon de coiffure, une salle communautaire, le « bureau-chef » de la mine, une rue, une cinquantaine de maisons toutes semblables, un resto-bar, et on nous annonça l'arrivée d'une super-infirmière qui offrirait deux jours de cabinet par semaine pour les deux cent treize personnes qui vivaient autour de la mine.

Quant à moi, Monsieur Jacques, j'avais 35 ans, j'étais célibataire, hétérosexuel en jachère (expression qui signifie que j'étais en attente de l'amour, comme un champ abandonné temporairement pour lui donner la chance de se refaire une santé) et l'enseignement me comblait plus que tout. J'avais assez de connaissances en psychologie et en pédagogie pour accompagner mes élèves, tel Pygmalion, sur la route de la connaissance. La chasse, la pêche, le grand air, les escapades en forêt, et surtout la transmission des nombreuses cordes à mon arc, faisaient de moi un être heureux de vivre.

Ma dernière blonde m'avait affirmé que je n'étais pas fréquentable, parce que j'étais ennuyeux, étant donné mon existence sans problème particulier. Elle était psychologue de profession et ne trouvait pas en moi assez de problèmes à régler. Nous nous sommes laissés et j'ai répondu à l'offre d'emploi de monsieur Carson dans le journal. Pour mon plus grand bien-être. Fin de la période lente et pourtant indispensable de ce livre.

Chapitre

4

L a Brigade d'Hercule Poirot fut dûment
constituée le lendemain, à 19 heures 30. Mes
étudiants se nommèrent un président, qu'ils appelèrent
Sire de la Loupe, en la personne de Justin Audet-Prieur.
Il serait en quelque sorte leur porte-parole et dirigerait
les termes de l'enquête. Moi, je m'amusais de les voir
se faire confiance et de débusquer les forces vitales de
chaque membre de la Brigade. Et je me disais que l'été
passerait vite tant leur intérêt pour ce premier fantôme
était important.

Les parents furent informés de ce groupe de
détectives, mais aucun des jeunes n'avait le droit, selon

leurs règlements, d'en parler à qui que ce soit d'autre. Sauf à moi, bien sûr.

Petit Thomas fut nommé responsable du journal personnel de la Brigade et devait consigner toutes les étapes de ses aventures. J'allais m'y référer souvent pour vous raconter cette histoire, vous vous en doutez bien.

* * * *

Gertrude Masson ne se contenta plus d'apparaître à la Brigade rassemblée autour d'un feu de camp. Deux jours après sa première apparition, elle se présenta à Jeanne alors qu'elle était assise sur la véranda de sa maison en train de pratiquer le troisième mouvement d'un air de Vivaldi. Le regard posé sur les cordes de son violon, l'oreille particulièrement à l'affût du mi bémol qu'elle avait toujours du mal à reproduire, elle ressentit une légère brise qui fit danser la mèche de cheveux sur son front. Pourtant, le vent était absent.

Mon élève eut un mouvement de recul quand elle aperçut une lueur vive se découper dans la nuit sans étoiles. Jeanne n'eut pas peur, puisqu'elle était persuadée que la fillette habitait chez l'un des mineurs qu'elle ne connaissait pas encore. Gertrude s'avança dans une odeur de moisi qui sauta au nez de Jeanne. Le fantôme se tenait à dix centimètres du sol, juste devant l'escalier. La musicienne respira un grand coup, puis décida de parler à Gertrude. Elle posa son violon sur la petite table extérieure. Catou y avait laissé ses Barbie le temps que sa famille aille manger chez les Girard, des amis dont ils venaient de faire la rencontre. Gertrude s'approcha des trois poupées et les observa avec un grand intérêt. Deux d'entre elles se mirent à danser devant ses yeux.

— Ce... ce sont des Barbie, dit Jeanne, tremblante. Tu n'as pas connu... tu ne connais pas ces poupées? Tu... tu en veux une? Je suis certaine que ma sœur serait heureuse de t'en offrir une. Celle-ci s'appelle Gisèle. C'est une princesse.

Gertrude Masson sourit. Jeanne vit alors que ses yeux étaient constitués de deux orbites creuses, que son nez ne comportait que des orifices osseux et pourtant, elle était jolie si on l'observait de loin. Ses cheveux semblaient avoir été dessinés à la craie. Sa robe blanche était la même que lorsque Jeanne et ses amis l'avaient aperçue la première fois autour du feu de camp.

— Gertrude, où habites-tu? dit Jeanne en connaissant parfaitement la réponse.

L'enfant ne répondit pas et pourtant, Jeanne pouvait entendre la stridulation causée par sa respiration.

Le petit fantôme déposa la poupée Gisèle et, en une demi-seconde, se retrouva de l'autre côté de la moustiquaire. Jeanne se mit à percevoir la peur au creux de son abdomen. Elle était bel et bien devant un fantôme. L'odeur devint méphitique à mesure que battaient les secondes au rythme de sa respiration. Elle se dit qu'elle devait entrer, s'approcher du téléphone et appeler Marie-Laure ou Justin, qui habitaient près de chez elle. Une force étrangère l'empêcha de pousser la porte. De plus, son cellulaire était resté dans sa chambre. Ainsi, pas de photos. Pas de cris à l'aide.

— As-tu… des comptes à régler avec qui que ce soit ? Est-ce que quelqu'un t'a fait du mal, Gertrude ? Dis-le-moi, mes amis et moi, nous pouvons t'aider.

— *Va porter ceci à ton père !* murmura Gertrude dans un souffle d'agonisante.

— Où il est, ton père ?

— *Va porter ceci à ton père !* répéta la fillette avec une voix tout en glissando qui faisait dresser les poils sur les bras de Jeanne.

Des voix se firent entendre. La famille revenait de chez les Girard. Le violon émit le fameux mi bémol dans toute sa pureté, celle que recherchait Jeanne depuis des jours.

— Tiens… Jeanne a réussi, dit Louise alors que le reste de la famille s'approchait de la maison.

Jeanne ne voulait pas que Catou puisse voir le fantôme, ni ses parents d'ailleurs. Parce que sa petite sœur aurait la peur de sa vie et parce que ses parents croiraient à une blague de la part des élèves de Monsieur Jacques, comme ils se plaisaient à les surnommer, et que la magie, en quelque sorte, s'évanouirait dans cette soirée fraîche de la fin juin.

— Allez, va-t'en, Gertrude. Tu ne peux pas rester ici. Mes parents arrivent. Ils... ils vont te chasser et ce ne sera pas une belle expérience.

— *Va porter ceci à ton père!* répéta Gertrude avant de disparaître.

Jeanne entra la première dans la maison. Louise pressa sa fille aînée sur sa poitrine.

— Alors, ma chérie. Tu as fait une bonne pratique de Vivaldi? On t'a entendue au tournant de la route... Mais qu'est-ce qui se passe? Tu es malade?

— Non, pourquoi me demandes-tu ça?

— Parce que ton cœur bat comme un tambour.

— Je veux écouter le tambour, dit joyeusement Catou en voulant mettre l'oreille sur le cœur de sa sœur. Ah, mes Barbie! dit-elle en courant chercher ses poupées. Je les avais oubliées... Méchante Jeanne! C'est toi

43

qui as sali sa robe ? Maman ! Jeanne a sali la robe de
Gisèle ! Regarde, sa robe est toute souillée de charbon.

— C'est vrai, ça ! admit Jeanne avec stupéfaction.
Mais il n'y a pas de charbon ici. Puis elle grimpa une à
une les marches de l'escalier menant à sa chambre.

Jeanne se rafraîchit le visage dans la salle de bains.
Son épiderme portait lui aussi des taches sombres malgré sa blancheur cadavérique. Elle se dit qu'elle allait
prendre sa douche avant de se coucher, mais elle crai-
gnit que Gertrude lui apparaisse dès qu'elle se trouverait seule dans la salle de bains. Elle avait déjà lu une
nouvelle d'Edgar Allan Poe, qui parlait d'un fantôme
qui ne voulait pas partir de la vie d'un laquais.

Elle téléphona à Justin. Il était en train d'aider sa
mère à nettoyer les chaises extérieures pour une fête qui
aurait lieu le samedi soir. Elle pouvait entendre crier
Tom et Zac qui se chamaillaient. Elle s'en offusqua.

— Tu peux me parler dans une atmosphère plus
silencieuse ? J'ai quelque chose à te raconter avant d'en
parler aux autres.

— Attends. Je vais aller dans ma chambre.

— Je t'attends.

Une minute plus tard, Justin reprit l'appareil.

— Misère ! Qu'est-ce que tu as ? Tu parles comme une chèvre.

— Gertrude m'est apparue. J'ai essayé de la faire parler, pour savoir pourquoi elle était là. Je pratiquais mon violon et elle est arrivée. J'ai peur, Justin ! Elle n'a pas de globes oculaires, juste des orbites vides. Elle… elle n'a pas de nez non plus. Et elle dégage une odeur de mort…

— C'est normal, elle est morte !

— Justin, ne prends pas ça à la légère, t'as compris ? Il y a un fantôme à Clarandale et personne ne semble s'en inquiéter.

— Pourquoi les villageois s'en inquiéteraient si nous avons été les seuls à la voir ?

— Elle n'est peut-être pas le seul fantôme du village.

— Jeanne, dis-moi, est-ce qu'elle t'a parlé ?

— Elle a dit trois fois : *Va porter ceci à ton père !* Sa voix n'était qu'un souffle, comme une voix tronquée par un modulateur de son électronique. Je ne peux pas parler de ça à mon père : tu le connais, il va m'emmener chez un psy qui lui non plus ne me croira pas. Je suis si… si désespérée. Tu me crois, toi ?

— Euh… oui, on l'a tous vue l'autre soir.

— Oui, mais chacun avait son explication. Même Monsieur Jacques l'a vue et il a semblé dire qu'il y croyait tant qu'on ne trouverait aucune explication rationnelle. Si c'est vrai, on ne peut pas dire qu'elle ait peur de se promener seule la nuit.

— Et si elle était une extraterrestre ? Tu sais que je crois à des êtres qui viennent d'autres planètes, moi.

— Moi aussi. Mais les extraterrestres parleraient français, comme ça, spontanément ? Non, Justin. Gertrude Masson est une humaine qui s'est dématérialisée, c'est clair. Elle vogue à l'aise dans ce village. Il faudrait d'ailleurs questionner les gens de la mine. Peut-être qu'eux savent quelque chose, insistait-elle.

— Elle n'a pas semblé te vouloir du mal en tout cas.

— Non, elle semblait avoir besoin... que je l'aide. C'est ça, Justin. Gertrude Masson a besoin d'aide. Quelque chose me dit que...

— J'ai un livre sur les phénomènes surnaturels, écrit en 1968 par un Américain, un dénommé Richardson. Je vais fouiller pour connaître les intentions des fantômes qui sélectionnent les personnes à qui ils croient bon d'apparaître. Je te vois demain. Ne parle de rien tant que je n'aurai pas les informations. Bonne nuit.

— Bonne nuit, termina Jeanne un peu sèchement.

Chapitre

5

Marie-Laure reçut à son tour la visite impromptue de Gertrude Masson. Elle s'apprêtait à aller rejoindre sa mère au salon de coiffure lorsqu'elle perçut dans la maison un froissement à quelques mètres d'elle. Un petit vent frais, presque froid, suivit, la forçant à se rendre à sa chambre et à jeter un lainage sur ses épaules. Elle retourna à la cuisine et ressentit aussitôt un mouvement de frayeur à la racine de ses cheveux. Ses bras se couvrirent de la chair de poule. Une lueur pâle apparut. Marie-Laure entendit Karine arriver en faisant claquer ses béquilles sur le plancher de céramique. Elle émit un petit rire nerveux: ce qui lui avait fait peur n'était qu'un bruit familier.

— Vas-tu chez ton amie Sophie ? demanda Marie-Laure à sa sœur. As-tu retrouvé ton sac de toile ?

Karine ne répondit pas, mais Marie-Laure pouvait l'entendre respirer.

— Je te parle, Karine. Tu veux aller chez Sophie ? Dis-le-moi parce que je m'en vais voir maman et je peux te reconduire chez ton amie.

Nouveau silence chargé de souffles troubles.

Quand Marie-Laure se tourna enfin, elle faillit perdre connaissance : Gertrude Masson était là, aussi triste qu'une enfant perdue. Cette fois encore, elle se tenait au-dessus du sol, sa petite robe blanche agitée par la brise. Elle était nu-pieds, comme les autres fois. Ses cheveux semblaient blancs et son visage était très flou.

— *Avant qu'il soit trop tard*, finit-elle par murmurer avec une voix d'outre-tombe.

Marie-Laure n'avait jamais l'habitude de perdre le nord. Elle se dit qu'un petit fantôme de rien du tout ne pouvait pas lui faire du mal, aussi répondit-elle à Gertrude pour entamer la conversation.

— Qu'est-ce que tu veux, Gertrude ? D'où viens-tu ?

— *Avant qu'il soit trop tard.*

L'enfant demeura muette, mais changea aussitôt d'endroit dans la pièce, comme si elle était soutenue par un appareil hydraulique. Une odeur insoutenable se répandit. Marie-Laure pouvait entrevoir le mur à travers le corps de Gertrude. Une frayeur terrible l'envahit. Elle se mit à crier :

— Karine, où es-tu passée ?

Karine ne répondit pas. Pourtant, le cliquetis de ses béquilles était reconnaissable entre tous les sons habituels de la maison. Marie-Laure pouvait jurer qu'elle l'avait entendu. Sa petite sœur ne semblait pas être à la maison. Marie-Laure prit donc les jambes à son cou et déguerpit, haletante, apeurée. Jamais elle ne pourrait se confier à qui que ce soit, tellement cette apparition lui parut invraisemblable. Cependant, elle n'allait pas se gêner pour en parler à ses compagnons de la Brigade d'Hercule Poirot. Désormais, elle aurait une raison sérieuse pour élucider toute cette affaire. Blanche comme un cierge de Pâques et nerveuse jusqu'à avoir du mal à tenir son sac, elle se rendit au salon de coiffure. Elle salua sa mère qui s'aperçut que quelque chose n'allait pas.

— Mon dieu, Marie-Laure, on dirait que tu as vu un fantôme !

— En fait, je croyais que Karine avait disparu. Ça te dirait de me tenir au courant quand tu emmènes ma sœur avec toi ? disputa Marie-Laure. Je la cherchais partout.

— Si c'est ça qui t'a mise toute à l'envers…

* * * *

Petit Thomas ne croyait ni aux esprits ni aux événements irrationnels. Selon lui, chaque chose s'expliquait, et jamais un fantôme ne pourrait arriver à le rendre sceptique. Il achevait de lire la nouvelle la plus terrifiante qu'il n'ait jamais lue : une tête, coupée du corps d'un condamné à mort, avait roulé sous une table et, s'aidant de sa langue pour avancer, cherchait désespérément à retrouver son propriétaire. Cette nouvelle de l'écrivain Claude Bolduc faisait frémir l'un des plus pragmatiques membres de la Brigade de Poirot, s'il en était un.

Le garçon s'apprêtait à téléphoner à Simon pour l'inviter à aller en ville avec ses parents le lendemain quand, dans une semi-obscurité, apparut une lumière blanche accompagnée d'une odeur persistante de vomi malgré le vent qui s'élevait dans la chambre. Thomas mit deux secondes à reconnaître Gertrude Masson, celle qui s'était présentée au feu de camp et que tous avaient cru être une petite fille de Clarandale, perdue dans les alentours.

— Mais... mais qu'est-ce que tu fais ici ? lui dit-il, en essayant d'attraper le bras de l'enfant.

— *Si tu n'y vas pas, tu le regretteras !* chuchota Gertrude.

Elle disparut comme elle était venue.

* * * *

Lorsque Justin apprit que certains membres de la Brigade avaient été contactés par le fantôme, il convoqua une réunion. Tous se rendirent à la salle communautaire à 20 heures. C'est à ce moment précis qu'il me téléphona pour que je me joigne à eux. Il commença la réunion en expliquant ce qu'il savait sur l'affaire, mais laissa les autres expliquer leur version des faits. Simon se sentait malheureux, se croyant le seul à ne pas avoir été visité par Gertrude. De manière comique, il demanda :

— Elle ne m'aime pas ou quoi ?

— Mais non, elle n'a juste pas eu le temps, j'imagine, dit Marie-Laure.

— Je ne l'ai pas vue, moi non plus, dit Justin.

— Elle n'est pas apparue à moi non plus, dis-je. Je suis un professeur, peut-être qu'elle s'est dit que je ne la prendrais pas au sérieux. Alors, écoutez-moi bien.

Nous avons affaire à un vrai fantôme. Tout y est : la transparence, le flou, l'odeur, le froid qu'elle entraîne avec elle, les murmures, et surtout, la peur qu'elle suscite. Jamais en cent ans, je n'aurais cru à une histoire pareille. Je suis une personne sensible, soit, mais avant ce soir, j'ai pensé que nous avions été victimes d'un canular. J'ai fait des recherches et je n'ai pas vu de famille Masson parmi les habitants actuels de Clarandale. Et personne n'a parlé d'une petite fille perdue. Seul Bob Carson a évoqué le nom d'un Masson : il fait partie des victimes de la célèbre explosion de la mine qui a eu lieu en 1935. Il s'appelait Georges Masson. Avait-il des enfants ? Quel âge avait-il ? Ça, je l'ignore. Il faut chercher dans ce sens, expliquai-je aux membres de la Brigade.

J'étais l'adulte responsable de mes élèves, ce qui sécurisait leurs parents. « Si Monsieur Jacques est là, nos enfants ne risquent rien », devaient-ils se dire. Mais moi, j'étais terrorisé. Rien de tout cela ne correspondait à l'incrédulité dont j'avais toujours fait preuve. Droit, logique, imperturbable, pragmatique, ces qualificatifs m'accompagnaient depuis que j'étais entré à la faculté d'Éducation.

— Je m'occupe d'élucider cette explosion de 1935, dit Justin.

— Je prends des notes, ajouta Thomas.

— Y a-t-il des documents sur cette affaire ? demanda Marie-Laure.

— Non, mais si on se rend dans le comté de Kensington, il y a des documents que l'on peut consulter, admis-je. Je l'ai su de monsieur Carson.

— Kensington, c'est à trois heures de route vers le nord. Si on ne veut pas que nos parents soient au courant des dossiers de la Brigade, on ne peut certes pas leur demander de venir nous reconduire sans leur donner une bonne raison. Personne ici n'a son permis de conduire.

Étrangement, personne n'avait pensé à moi. Et cela m'inquiéta. Mes élèves avaient-ils totalement confiance en moi, leur professeur ? Je savais qu'ils ne se fiaient pas aux adultes de façon générale, mais je pensais sérieusement que je faisais partie de leur univers. Ils m'avaient suivi lors de mes envolées dans l'imaginaire de Jules Verne ou de Roald Dahl. J'y croyais quand ils me disaient que je les emmenais dans un autre monde par la poésie contenue dans mes lectures et que j'alimentais leur capacité de rêver quand je leur présentais les esprits maléfiques des livres de Poe, ou de Stevenson et même de ce *Hamlet,* de Shakespeare. Ils avaient cette capacité de séparer le vrai du faux, mais ils savaient transformer leur monde en celui d'une fantaisie toute proche. Et tout à coup, au moment où une petite fille fantôme se manifestait, ils voulaient me tenir à distance ? J'allais devoir leur prouver que je pouvais faire partie de leur groupe pour de vrai. Je devais leur devenir indispensable. Mais j'étais terriblement apeuré par ces récentes apparitions inexplicables.

— Vous m'oubliez, glissai-je avec retenue.

— On ne veut pas vous forcer à vous impliquer dans une affaire de... de jeunes.

— Mais j'y crois, moi, à votre fantôme, insistai-je.

— Elle ne vous est pas apparue, dit Simon.

— À toi non plus, dirent Justin et Jeanne en duo.

— Un instant, dis-je. Gertrude nous est apparue à tous, le soir du feu de camp. À partir de là, je fais partie de la Brigade, un point c'est tout. Et s'il vous arrivait quelque chose, je serai là pour vous démerder. Alors, si vous ne voulez pas que je me fâche et que je retourne en ville, ne me dites pas que je ne suis pas digne de confiance ! criai-je.

Les jeunes demeurèrent interloqués. Jamais il ne m'était arrivé de me fâcher devant eux. Justin, en tant que président de la Brigade d'Hercule Poirot, prit la parole :

— Il a raison. Nous avons besoin de Monsieur Jacques s'il promet de ne jamais révéler nos activités à nos parents. Il a vu Gertrude Masson et il y croit. Nous allons tous ensemble essayer de comprendre ce qu'elle nous veut. Toi, Jeanne, tu m'as confié que la petite fille t'a dit : « Va porter ceci à ton père ! » Toi, Petit Thomas, elle t'a dit la même chose ?

— Non, elle m'a dit : « Si tu n'y vas pas, tu le regretteras ! »

— À moi, elle a dit : « Avant qu'il soit trop tard ! » déclara Marie-Laure. Ce sont trois phrases différentes, pas vrai ?

— Trois phrases qui en disent beaucoup, ajoutai-je. Il s'est passé quelque chose de grave dans la vie de Gertrude Masson. C'est incontestable. Dans l'ordre, elle a dit : *Va porter ceci à ton père ! Avant qu'il soit trop tard ! Si tu n'y vas pas, tu le regretteras !* Puis BOUM ! Il faut que je vous dise que quand nous sommes arrivés ici, je suis allé errer dans le cimetière et j'ai vu un charnier portant une inscription qui disait : *Ci-gît Ferris O'Toole, mort dans l'effondrement de la galerie six, mais dont on n'a retrouvé que la jambe droite.* Or, quelqu'un m'a parlé d'un Kenny O'Toole : il ne peut qu'être son fils. Il a quitté la mine avec sa famille il y a cinq ans. Il habite en Nouvelle-Angleterre. Si son père a perdu la vie dans l'effondrement de la galerie six, il a dû y avoir plusieurs morts, qu'en pensez-vous ?

— Ouais, c'est très plausible, ça, dit Simon.

— Or, ici, il n'y a rien sur cet événement, dis-je. Mais dans les documents du comté de Kensington, oui. Demain, c'est vendredi. Je vais organiser une escapade dans la montagne Bleue. Je n'aime pas mentir, mais vous direz à vos parents que nous partons en expédition pour... pour camper le long de la rivière Moose Foot et pêcher le saumon. Je ne sais pas s'il y en a dans cette rivière, mais ce petit mensonge nous aidera à trouver les informations qui nous aideront à ne pas passer pour des fous. Surtout moi. Je risque gros, vous savez. Entraîner cinq jeunes d'âge mineur dans une affaire d'illuminés, ça pourrait m'apporter des ennuis.

— Nous ne sommes pas des illuminés, Monsieur Jacques, s'opposa Jeanne.

— Vous essayerez de faire comprendre ça à vos parents, s'il arrive quelque chose. En tout cas, promettez-moi que le prochain qui se trouvera en présence de Gertrude Masson prendra des photos. On les planquera dans un coffre de métal qu'on enfouira dans le vieux puits à côté du cimetière. Avec des photos, on pourra tous les méduser. J'ai un ami chasseur de fantômes et il serait très intéressé à entendre ce que nous avons vécu. Je vais attendre un peu et s'il se passe encore quelque chose, je vais lui écrire. Il est présentement en Thaïlande. Léo est le plus grand spécialiste d'histoires de fantômes, d'esprits frappeurs et de toute cette race d'hurluberlus... me moquai-je sous le regard désapprobateur de mes élèves.

— Des illuminés, des hurluberlus ! Monsieur Jacques, il va falloir que vous preniez ça plus au sérieux si vous voulez faire partie de la Brigade, soumit Justin. Je vais vous nommer membre à l'essai pour quelques mois. Qu'en dites-vous ? demanda-t-il aux autres.

— D'accord, répondirent-ils tous, en se frappant les mains dans une explosion d'enthousiasme.

J'allais devoir faire mes preuves et leur démontrer qu'ils pouvaient avoir confiance en moi. J'avais beaucoup lu sur le sujet à cause de mon ami Léo, qui m'avait, durant toutes nos études secondaires et même après, martelé la tête avec ses histoires d'esprits frappeurs, de petits peuples souterrains, d'âmes errantes. Sa passion avait fait en sorte que Léo avait énormément voyagé, de là son surnom de Chasseur de fantômes ou en anglais, de *Ghost Buster*, faisant référence au célèbre film américain. Il y avait une confrérie de scientifiques, sortis de leur sens pragmatique, qui n'avaient pas pu faire autrement que de tenter d'élucider ce monde parallèle qui fascinait tous les humains. Léo en faisait partie.

Dès qu'on lui rapportait la présence d'un être surnaturel dans n'importe quelle contrée américaine, asiatique ou africaine, Léo préparait ses effets personnels et ceux de Sylphide, son iguane, et volait au secours des témoins hébétés par ces apparitions inexplicables qui bazardaient leur vie tranquille. Léo écrivait tout dans un cahier qui le suivait partout, comme Petit Thomas savait le faire : tout consigner, la date et l'heure des apparitions, le lieu, le nom et les témoignages de chacun. Pour sûr, Léo était le plus calé en expériences surnaturelles. Mais, comme le fut à son époque Charles Darwin et sa théorie de l'évolution, personne ne le croyait. Léo Lalumière était un hurluberlu.

* * * *

Les parents de mes étudiants étaient heureux du déroulement du week-end qui s'annonçait. Ils signèrent tous l'entente permettant à leur enfant de m'accompagner.

Il était neuf heures quand nous sommes partis, le bus chargé de matériel de camping, de bagages et de victuailles. La première heure, toutes fenêtres ouvertes au risque d'avaler quelques mouches, mes jeunes admiraient les petits lacs, le pic des épinettes sombres qui donnaient à la montagne une chevelure de « punk », et leurs éclats de voix fusaient dans l'immensité du paysage nordique. À un moment donné, Petit Thomas et Jeanne tentèrent d'apercevoir un animal égaré entre les vallons cotonneux, caméra à l'affût.

— Je viens de voir passer un faon ! Juste derrière le gros arbre, dit Jeanne.

— Il n'y a que ça, des gros arbres, ici. Si c'est ce que je crois, c'est un daguet, juste par la forme de ses bois.

Après deux heures de route, nous n'avions encore rencontré personne. Pas de voiture, pas d'hydravion, pas de VTT. À environ cent kilomètres du comté de Kensington, j'immobilisai le bus, question de nous délasser les jambes et de manger un peu. Au même moment, une apparition soudaine nous fit tous sursauter.

— C'est incroyable! dit Simon. Regardez, là! Elle fait comme si de rien n'était.

En effet, le fantôme de Gertrude Masson semblait danser autour de nous, son petit visage toujours aussi placide, pâle, implacable. Personne n'osa plus parler. Je trouvais la situation plutôt embarrassante et je compris alors que nos premières suppositions de canular ou de petite fille perdue ou somnambule venaient de s'envoler. Contre toute attente, je me mis à parler à l'enfant que j'apercevais à peine à cause de la lumière du jour qui passait à travers elle.

— Si on peut t'aider ou te soulager, Gertrude, il faut que tu nous le demandes. Tu ne peux pas continuellement errer comme tu le fais, lui dis-je en réalisant que je pouvais avoir l'air ridicule.

— Tu… tu nous fait peur, lui dit Marie-Laure.

L'enfant disparut comme un rai de soleil derrière un cumulo-nimbus. Les jeunes étaient déçus, mais à la fois soulagés que Gertrude Masson nous laisse terminer notre voyage en toute quiétude. On mit une heure pour se remettre de son apparition. Petit Thomas, cahier ouvert, écrivait sans relâche, réalisant ainsi la tâche officielle qui lui avait été confiée. Je voyais bien qu'il était tout retourné. Je dois avouer que de rencontrer le fantôme d'une petite fille d'une dizaine d'années dans l'immense désert de Kensington, sans même savoir ce qu'elle voulait, était une expérience très éprouvante pour des personnes rationnelles, même pour une Brigade chargée d'élucider les apparitions surnaturelles.

Les jeunes étant ce qu'ils sont, ils avaient déjà oublié ce bouleversement. Justin se remit à conter fleurette à Marie-Laure, et Simon à discuter avec Jeanne du dernier roman de Romain Gary qu'il venait de terminer. Il lui lisait de courts passages qui l'avaient particulièrement touché. Petit Thomas écrivait. Et moi, j'avais hâte d'arriver à destination et de rencontrer le responsable des archives de la région. Il s'appelait Dennis O'Toole, et pas besoin de vous dire que j'avais hâte de lui parler du O'Toole du cimetière de Clarandale, celui « dont on n'avait retrouvé que la jambe droite » dans les décombres de la mine, en 1935.

Est-ce que cette affaire allait expliquer la présence persistante de Gertrude Masson? En tout cas, c'était la première enquête de la Brigade d'Hercule Poirot en matière immatérielle et je voulais qu'elle se passe sans heurt. Sinon, que pourrais-je dire aux parents qui m'avaient confié leurs enfants? Ne pas perdre de vue que je devais d'abord prouver aux cinq jeunes que j'étais digne de la confiance du célèbre détective d'Agatha Christie, qui, lui, n'avait jamais raté une seule enquête.

Mes élèves vivaient une existence rêvée, sans tracas, sans être obligés de gagner leur pitance, libres dans cette nature qui leur était chère. Et comme ils étaient particulièrement intelligents, voire allumés, il y avait espoir qu'ils ne restent pas marqués par ces phénomènes surnaturels. Ils étaient obnubilés par leurs lectures, par la musique et, étonnamment, par une amitié exempte de conflits dus à l'envie, d'obstinations vaines et de ces petites jalousies qui grugent parfois les liens entre les gens. Il y avait bien cette idylle entre Justin et Marie-Laure qui avait déstabilisé Jeanne, mais tous se complaisaient dans une grande amitié sans animosité. Les deux filles demeuraient inséparables et leur connivence était remarquable. De beaux jeunes, vraiment. Des jeunes qui, grâce au travail de leur père, n'étaient pas trop exposés à la facilité des moyens de communication qui, en ville, occultaient parfois les relations interpersonnelles.

J'étais heureux.

* * * *

Monsieur O'Toole nous attendait. À la suite de mon appel, il avait étalé, pour satisfaire notre curiosité, de grands éventails de documents, de griffonnages, de vieilles photos et il était visiblement très heureux que toute cette paperasse puisse servir à quelqu'un.

Les jeunes tournaient autour de la grande table branlante, extrayant une photo du lot, lisant respectueusement un document devenu friable, surpris et satisfaits à la fois. Petit Thomas prenait des photos avec la permission de notre hôte.

— Mon grand-père est mort dans l'effondrement de la galerie six de la mine Carson, dit Dennis. On n'a retrouvé que sa jambe droite. Les trente-six autres mineurs n'ont rien laissé de leur présence dans la mine, ce jour-là. Tous ont été soufflés par la déflagration. Les familles ont été dévastées, pire encore que si elles avaient pu identifier les restes de leur père ou de leur frère. Moi, je n'ai pas connu mon grand-père, mais on m'en a beaucoup parlé. Les témoins ont raconté avoir aperçu les âmes des victimes monter vers le ciel à travers les émanations de poussière. Comme quand le vent se mêle aux fanions d'une guirlande. Ils ont entendu un gros BOUM! Puis ils ont vu de la fumée épaisse sortir de l'entrée nord. Ensuite, une trentaine de lumières se sont élevées au-dessus de Clarandale. Le curé Chartier avait béni le chantier le 24 juin, le jour de la Saint-Jean-Baptiste, parce que la totalité des gars étaient des Canadiens-français. Le 16 juillet, ça s'est mis à trembler, puis une déflagration monstre a secoué tout le village. Personne n'a eu le temps de sortir. Ça a été la plus grosse explosion qu'on n'a jamais entendue. Mon père m'a raconté cette histoire une centaine de fois. Toutes les familles sont parties en ville et le grand-père de monsieur Carson a dû embaucher trente-sept autres mineurs. Il a eu du mal à trouver des candidats; tous les hommes avaient peur de mourir. Surtout que du charbon, plus grand monde se sert de ça de nos jours. Avant, on s'en servait pour chauffer. Depuis, ça s'est modernisé. Bob Carson vend aux pays pauvres et l'exportation coûte cher. Mais sa famille est composée de gens généreux et en 1935, le vieux Carson, le grand-père de Bob, a offert aux mineurs tellement de conditions avantageuses que, finalement, il a constitué une nouvelle équipe qui avait pour chef Georges-Henri Dupuis. Depuis l'explosion de 1935, ça va. À moins que vous me disiez que ça ne va pas. Il y a longtemps que je n'ai pas entendu parler de quoi que ce soit.

— Non, on ne peut pas dire que ça ne va pas. Au contraire, lança Justin en riant.

Chapitre

6

J'aidai mes cinq jeunes à monter les deux tentes, puis j'installai la mienne que je plantai près de la masure de monsieur O'Toole.

Par cette nuit fraîche de fin juin, Justin et Simon allumèrent un feu alimenté grâce à des fagots que ramassaient les filles et Petit Thomas. Monsieur O'Toole s'assit avec nous, après nous avoir servi à chacun une tisane d'aiguilles d'épinette brûlante et des galettes faites de farine de quenouilles, ce qui eut l'heur d'inquiéter les jeunes, avouant leur préférer du thé et des biscuits au chocolat.

— Les premiers habitants de Kensington étaient des Algonquins, et c'est l'une d'entre eux, la jolie Marie-Ange, qui m'a enseigné l'utilisation des conifères pour guérir et pour donner de la vigueur aux chasseurs.

— C'est pas mal, dit Marie-Laure en sirotant sa tisane et en claquant la langue.

Les jeunes se mirent à discuter entre eux et j'en profitai pour tenter d'éclaircir avec monsieur O'Toole d'autres points qui nous avaient entraînés jusque chez lui. D'abord, je racontai à notre hôte les raisons pour lesquelles j'avais été embauché par Robert Carson avec moult détails. Il était impressionné qu'un seul homme puisse enseigner autant de matières et, qui plus est, ait accepté de passer ses vacances avec ses étudiants. Je gardai secret les manifestations supranaturelles des dernières semaines. Je lui demandai tout de même :

— Dites-moi, ces gens qui sont certains d'avoir aperçu l'âme des mineurs s'envoler vers les cieux après la déflagration...

— Il s'agit d'une trentaine de témoins parmi les proches des victimes. Ce n'est pas rien ! insista monsieur O'Toole. C'est un phénomène inexplicable, mais ils étaient si nombreux à raconter la même chose.

— Votre famille les a-t-elle vues, elle aussi ?

— Non. Mon père ne m'a jamais raconté qu'il avait vu les lumignons monter...

Dennis O'Toole était, sous la lueur des flammes, aussi pâle que la lune elle-même. Incontestablement, il était embarrassé et chercha plusieurs fois à changer de sujet. Jeanne revint à la charge.

— Vous ne croyez pas aux manifestations surnaturelles ? dit-elle avant de ricaner nerveusement.

— Selon vous, y a-t-il une explication logique à ces phénomènes ? demanda Justin.

Petit Thomas quitta notre groupe pour aller se soulager aux abords de la forêt. Il avait l'air apeuré par une chose inquiétante. Marie-Laure sauta sur le carnet de son ami pour inscrire les propos de monsieur O'Toole. Son visage afficha une grande surprise en lisant les derniers mots écrits par Petit Thomas : « Nous sommes assis autour d'un feu de camp avec cet homme étrange. Juste derrière lui, immobile, se tient Gertrude Masson. » Marie-Laure à son tour s'excusa avant de lancer à Justin :

— Viens, on va aller chercher du bois. J'ai vu des grosses branches par là !

Monsieur O'Toole se mit à rire et dit à Justin :

— Penses-y avant de te marier, mon garçon !

Ni Marie-Laure ni Justin n'entendaient à rire. Gertrude Masson flottait dans les parages.

J'entendis Justin dire :

— Il ne l'a pas vue.

— Ça veut dire qu'il y en a peut-être certains qui ne la voient pas.

— Petit Thomas l'a vue, en tout cas.

— Si on y croit, on peut la voir, affirma-t-elle.

— C'est peut-être ce qui explique le drame de Gertrude Masson.

— Quoi donc ?

— Ces gens qui ne la voient pas. J'ai l'impression qu'elle a besoin qu'on croit en elle, ajouta Justin en ramassant des branches sèches. C'est sûrement pour cela qu'elle nous a choisis, nous.

— Tu crois que Gertrude nous a choisis ?

— Oui, parce que les jeunes nagent plus facilement dans l'imaginaire. Ils n'ont pas encore tout à fait perdu leur belle innocence. C'est Monsieur Jacques qui a dit ça.

— Nous n'avons pas imaginé Gertrude. Nous l'avons vue de très près.

— Viens, ils vont se demander ce que nous fricotons.

De nouveau, nous fûmes tous réunis autour d'un immense feu grondant, laissant libre cours au sommeil.

Quelques minutes plus tard, Gertrude Masson vint se planter derrière monsieur O'Toole, une fois encore. L'écharpe de notre hôte, alors qu'il n'y avait aucun vent, s'éleva et ses cheveux volèrent en formant une broussaille indomptable. Devant le froid qui approchait, nous nous rapprochâmes du feu. Monsieur O'Toole ne voyait pas le jeune fantôme et aucun d'entre nous n'osait parler. Je balayai les alentours et je constatai que mes cinq élèves avaient le regard fixé sur Gertrude Masson.

— Après ça, vous n'avez jamais entendu parler d'autres... choses, demandai-je encore à monsieur O'Toole.

— Que voulez-vous dire ?

— Des manifestations étranges, dit Simon.

— Des événements inexplicables, ajouta Jeanne.

— Des rumeurs et des « on dit que » ? renchérit Marie-Laure.

— Des... des fantômes, conclut subitement notre Petit Thomas.

Nous fixions toujours Gertrude Masson avec une presque envie de rire tant la situation devenait loufoque. Jusque-là très calme, notre hôte perçut un malaise de la part de notre Brigade. Il comprenait que nos questions n'étaient pas innocentes et il eut tout à coup très peur. Une chose était là qu'il semblait être le seul à ne pas voir, mais cette chose le terrorisait quand même.

Simon sortit sa guitare de son étui et se mit à gratter *Imagine* de John Lennon. J'écoutais les accords monter autour de la flamme comme les petites âmes qui s'étaient étirées, de la mine jusqu'au firmament d'encre, en 1935. J'étais rassuré : ces jeunes dont je veillais à l'éducation chantaient cet hymne à l'imaginaire de Lennon, tel que je le jouais lors de mes leçons de guitare. Une musique pour relier deux et même trois générations. Quelle joie !

Quant à lui, monsieur O'Toole se leva et courut dans sa maison. Nous ne comptions pas le revoir avant l'aurore.

※ ※ ※ ※

Au petit matin, les jeunes avouèrent avoir dormi les uns agglutinés aux autres et me confirmèrent que Gertrude Masson n'était pas revenue les hanter. Notre spectre semblait comprendre l'effet qu'elle produisait sur monsieur O'Toole et je crois qu'elle fut convaincue que nous ne lui voulions aucun mal.

Au déjeuner, pour être certains de ne pas nous voir offrir de la tisane d'aiguilles d'épinette et des galettes de farine de quenouilles, Justin et Marie-Laure voulurent convier notre hôte à déjeuner. Ils eurent beau frapper à sa porte, ce dernier ne répondit pas.

— Sa camionnette n'est plus là! Il n'y a pas âme qui vive dans sa maison!

— C'est impossible, dis-je, déçu. Il a promis de me remettre des documents importants au sujet de la mine Carson.

Justin posa l'œil sur le rebord de la fenêtre à l'arrière de la cabane.

— Il y a une enveloppe à l'intérieur, sur la table de la cuisine, mais la porte est verrouillée! cria-t-il.

Je me précipitai pour faire le même constat.

Au moment où Justin et moi posions le pied sur la dernière marche, un immense grondement nous secoua et je tombai à genoux sur la pelouse. Les filles de dirigèrent vers moi.

— Courez! Courez! leur criai-je, totalement affolé.

Au même instant, la cabane de monsieur O'Toole fut soufflée par une gigantesque explosion avant que n'éclatent les vitres en mille petits miroirs et que sa carcasse ne s'enflamme. Une odeur de soufre enveloppa l'atmosphère jusqu'à rendre notre respiration difficile. Cette odeur nous était familière.

Les filles appliquèrent leur foulard sur leur bouche. Petit Thomas s'était retiré à quelques mètres plus loin et écrivait. Tous, nous étions éberlués, la bouche ouverte et les yeux rivés sur les relents de l'incendie.

— Il faut empêcher le feu de se propager dans la forêt, criai-je à mes jeunes, en apercevant des traînées de fumée qui, comme les pattes d'une araignée, se diffusaient entre les herbes séchées.

Aussitôt, la fumée disparut. La masure de Dennis O'Toole se tenait devant nous et on aurait dit qu'elle avait été incendiée des années auparavant tant plus rien de l'embrasement ne paraissait. Justin poussa Simon pour retenir son attention :

— Regarde !

Juste devant nous se tenait, affichant des remords presque comiques, la petite Gertrude. Étrangement, il nous sembla que ses traits devenaient plus précis. Deux yeux verts remplissaient ses orbites. Le reste de son visage demeurait flou, mais bénéficiait de la présence d'un doux regard qui nous permettait de lui imaginer un sourire. Un sourire témoignant d'avoir réalisé quelque chose d'important. Elle s'approcha de nous et, dans un halo lumineux, me tendit la fameuse enveloppe qui, visiblement, m'était destinée.

Lorsque je voulus la prendre, l'enveloppe sembla s'extirper d'un cercle vaporeux et fluide dans lequel des vagues tournoyaient en émettant un son caverneux. Le papier était enflammé sans l'émission d'une quelconque chaleur. Au moment où je l'ouvris, elle était intacte. Je frémis. J'avais très peur pour ces adolescents que leurs parents m'avaient confiés. Je n'osais pas imaginer le sort qui m'attendait s'il leur arrivait quelque chose de grave. Je ne me voyais pas leur expliquer que la faute revenait à un fantôme de dix ans qui hantait nos vies.

Justin, en bon président, réunit ses acolytes près du bus.

— Ce qui vient de se produire est la preuve irréfutable que Gertrude Masson peut interagir avec nous. Qu'elle peut nous rendre service si elle le désire. Je crois qu'elle nous a adoptés et qu'elle peut aussi nous protéger. La destruction de la cabane peut signifier qu'elle nous protège de quelque chose ou de quelqu'un de nuisible.

— Oui, monsieur O'Toole a dû nuire à sa famille pour que sa vengeance se manifeste. Qu'en pensez-vous ? demanda Simon.

— Nous aurions pu être blessés, dit Jeanne.

— Elle a attendu que nous soyons hors de portée pour faire sauter la maison, nous rassura Petit Thomas.

— Je crois qu'elle sait que nous sommes assez forts pour supporter ses écarts de caractère, dit Simon.

— Elle aurait pu tomber sur de pauvres cloches qui auraient tout de suite avisé les autorités après sa première apparition, affirma Marie-Laure.

— Voyons, personne ne nous aurait crus. Qui croit aux fantômes de nos jours ? dit Justin.

Moi, j'étais encore sous le choc, hésitant entre la farce grotesque d'un joueur de tours motivé et une véritable manifestation surnaturelle. Je ne pouvais pas expliquer rationnellement les tenaces apparitions d'une enfant fantôme à une époque bardée de moyens de communication. Mes élèves s'aperçurent de mon désarroi.

— Personne n'a réussi à prendre des photos ? demandai-je.

Une petite voix s'éleva.

— Moi ! J'ai utilisé mon iPod ! Je suis votre conservateur, non ?

Nos cœurs s'emballèrent. Entouré de nous tous, Petit Thomas tenta de montrer les photos qu'il disait avoir multipliées depuis quelques heures. Comme il fallait s'y attendre, les photos montraient des arbres, le ciel, l'herbe, nos frimousses, mais aucun incendie, aucune cabane, rien. Et notre petite Gertrude n'apparaissait nulle part. Seul, parfois, un halo lumineux inondait la photo jusqu'à en rendre le sujet méconnaissable. Aucune photo ne pourrait être citée en preuve de l'apparition d'un fantôme ou d'une de ses manifestations étranges. Nous n'étions pas plus avancés.

— La Brigade d'Hercule Poirot est crédible : nous sommes six et nous ne sommes pas fous! émit Marie-Laure.

— Vive la Brigade d'Hercule Poirot! scandèrent mes élèves, décidés à résoudre cette affaire.

Nous embarquâmes dans le bus pour entamer notre voyage de retour, inquiets de ce que nous allions raconter aux parents.

Quand je levai les yeux sur mon rétroviseur, Gertrude était assise au milieu de mes jeunes, souriante pour la première fois. Elle avait désormais des yeux et une bouche.

* * * *

Je passai le week-end à examiner les divers documents que m'avait légués monsieur O'Toole. J'avais promis à la Brigade d'en faire un résumé. Je gardais en tête cependant que l'homme avait pris la poudre d'escampette et que nous ne l'avions pas revu. Sa disparition fortuite continuait à me hanter.

Les documents contenaient très peu d'informations pouvant faire avancer l'enquête. Des feuilles de météorologie, des données minéralogiques, des études de densité aurifère, de vieilles photos jaunies de chercheurs d'or, une carte géographique, un arbre généalogique des O'Toole et quelques billets griffonnés constituaient l'ensemble de l'enveloppe. Je m'arrêtai. Je tenais la presque totalité des documents de cette famille. Comme s'ils constituaient l'héritage de cet homme que je n'aurais connu que quelques heures seulement.

Justin vint me rendre visite le dimanche soir, vers 20 heures. Il me tendit un papier en disant :

— Monsieur Jacques, nous devons désormais faire nos réunions dans la caverne du mont Corbeau. Nous devons y être demain à 10 heures.

— Où as-tu eu cette note ?

— Quelqu'un est venu la déposer sur le rebord de la fenêtre de ma chambre.

— Bien. Et ?

— Ma chambre est au deuxième étage, Monsieur Jacques.

— Oh!

Je compris que Gertrude Masson avait dû la lui porter.

— Alors, rendez-vous au petit dépanneur à huit heures! dis-je.

À 8 heures 30, nous entreprenions notre montée vers la caverne du mont Corbeau. Inquiets, nous marchions deux à deux, sans trop d'enthousiasme. Désormais, l'affaire semblait entre les mains d'une petite fille fantôme. La note indiquait: «Gros mélèze aux trois branches brisées — Vingt pas à gauche de la route.» Une grosse blague, quant à moi. Quelqu'un devait se moquer de nous.

Au bout d'un peu plus d'une heure, nous avions identifié le gros mélèze aux trois branches brisées, tel que le disait la note. Juste à côté, un immense mur de roc était percé d'une ouverture.

— C'est ici, lança Justin.

— On entend de l'eau couler.

— J'espère qu'il n'y aura pas de serpents, glissa Jeanne qui tremblait de frayeur.

— Les petites bêtes ne mangent pas les grosses, lança Simon en lui pressant l'épaule dans un élan d'affection amicale.

Je remarquai qu'au fur et à mesure que les jours passaient, une relation toute particulière croissait entre Jeanne et Simon. De petits gestes, des paroles pleines de signification pour eux et un courant de sentiments protecteurs les avaient rapprochés sans qu'ils ne le veuillent vraiment.

La Brigade était donc constituée de deux couples amoureux et je formais avec Petit Thomas un duo de curieux et d'amoureux des arts. Petit Thomas, lui, se sentait très proche de Gertrude Masson, comme d'une amoureuse imaginée en rêve. Je savais qu'il n'en parlerait jamais à qui que ce soit.

Le fond de la caverne avait été aménagé : six grosses pierres, comme autant de sièges, entouraient un monticule formé de branches et d'effilochures de lichen séché.

— Tu crois qu'on va devoir s'asseoir ? demanda Marie-Laure, revenue de sa surprise.

— Allons-y, répondit Justin. Il faut d'abord allumer si l'on veut voir quelque chose.

Tous, nous fouillions dans notre havresac, mais aucun de nous n'avait d'allumettes ou de briquet.

— Incroyable ! se fâcha Marie-Laure. C'est pourtant le premier élément d'une trousse de campeur !

Jeanne, tu as vraiment cherché partout dans ton sac?
Pourtant, tu en as besoin de temps à autre, non?

Jeanne devint pâle comme un linge. J'imaginai que personne ne devait savoir qu'elle fumait de temps en temps.

— On a l'air intelligents, tous assis autour d'un feu éteint! dit Simon, en riant.

Au même moment, nous pûmes ressentir une forte brise suivie d'effluves rances que nous connaissions bien.

— Elle n'est pas loin, glissa Justin.

Aussitôt, nous entendîmes un son étrange, une sorte de musique celtique martelant la voûte de la caverne. Quelques chauves-souris se détachèrent des anfractuosités rocheuses et voletèrent au-dessus de nos têtes. Jeanne se mit à crier.

— Mais non, les chauves-souris ne s'attaquent pas aux gens. Les vampires sont des légendes, tenta de nous rassurer Justin.

Et le feu s'alluma, fort, assuré et droit. Sans aucune intervention humaine. Gertrude avait tout prévu. Quand nous fûmes revenus de notre surprise, elle apparut et je constatai que son visage était complet. Petit Thomas le dessina. Gertrude me sembla très jolie et, surtout, plus âgée que la première fois que nous l'avions vue. Je jugeai qu'elle avait quinze ans. Un sourire irradiait son visage. On aurait dit qu'elle avait rencontré une certaine sérénité. J'entrepris de lui parler de nouveau.

— Qu'est-ce qu'on peut faire pour toi, Gertrude ? Nous sommes tes amis et nous cherchons à comprendre pourquoi tu persistes à apparaître, lui dis-je doucement.

À notre grand étonnement à tous, Gertrude Masson répondit :

— *Lisez les documents.*

Ses mots laissèrent mes jeunes terrorisés, mais pas davantage que si elle avait dit : « Il fait beau, n'est-ce pas ? »

Marie-Laure et Simon voulaient retourner à la maison.

— Oh ! que mes parents n'aimeraient pas toute cette histoire ! dit-elle.

— Les parents ne le sauront pas ! la rassura Justin.

— Elle me fait très peur aussi, dit Jeanne. Je veux bien croire que tout est possible, qu'il existe des hologrammes, des ordinateurs puissants, Skype où l'on peut voir la personne qui nous parle, les avions qui nous emmènent à Katmandou en moins de temps qu'il ne faut pour épeler ce nom, les bidules qui gardent en vie des mémés jusqu'à cent dix ans, mais… mais jamais personne n'a pu expliquer la présence de… du… d'un fantôme.

Jeanne, tout en s'énervant, remonta la capuche de son coton ouaté sur sa tête comme quelqu'un qui cherche à se protéger de la foudre. Elle traçait nerveusement des lignes avec ses chaussures sur le sol graveleux. Un silence suivit, mais Gertrude Masson ne partait pas.

— Le pire, Monsieur Jacques, c'est que l'on vit tous une réalité dont nous ne pourrons jamais convaincre qui que ce soit, dit Simon.

— Seuls les membres de la Brigade savent que Gertrude Masson existe. On ne peut parler d'hypnose collective. On est six personnes d'intelligence supérieure, disons-le, et on ne peut pas expliquer ces apparitions, dit Justin.

— On sait une chose : cette enfant a quelque chose à nous dire. Juste à nous, parce qu'elle a choisi de nous faire confiance. La preuve, il n'y a que nous qui la voyons. Faisons donc comme si elle n'était pas là. Elle est pacifique ou du moins ne montre aucun signe d'agressivité envers nous. Petit Thomas, tu peux nous résumer tout ce que nous avons vécu jusqu'ici ?

Petit Thomas ouvrit son carnet et se mit à lire les différents points qui nous avaient menés jusque-là. Tout y était. Les dates et les moments précis, les témoignages de ceux qui avaient reçu la visite de Gertrude en privé, l'incendie de la maison de monsieur O'Toole, le message les convoquant dans la caverne. Notre secrétaire avait assorti ses notes de dessins, de schémas et d'itinéraires. Puis ce fut mon tour de parler.

— Dans l'enveloppe que m'a laissée le prospecteur minier O'Toole, j'ai trouvé quelques éléments qui peuvent mener à comprendre ce qui se passe. Il y a ici le récit de l'après-midi du mardi 16 juillet 1935, dans la mine Carson. Un tremblement de terre, un bruit sourd, puis une déflagration terrible tuant trente-huit personnes, selon les chiffres évoqués dans le cahier. Pourtant, tout le monde parle de trente-sept victimes. Ici, c'est bien indiqué trente-huit personnes. Une erreur, sans doute.

Gertrude Masson se mit à s'agiter dans tous les sens au-dessus de nous. Puis elle retomba immobile. Soudain, des boules de feu surgirent de tous les recoins, explosant sur les parois de la grotte. Les enfants tentaient de se protéger la tête.

— *Vous m'avez oubliée,* disait la voix caverneuse, une voix d'outre-tombe.

— Gertrude, appelai-je. Tu es celle qu'ils ont oubliée ? C'est ça ?

Pour toute réponse, Gertrude alla se placer derrière Justin et l'enveloppa du voile de sa robe blanche avec une tendresse inusitée jusque-là. Une sorte de relation amoureuse les liait l'un à l'autre. La scène suivante est restée inscrite dans ma mémoire. Gertrude Masson émettait des grognements de bonheur en se frôlant à Justin. Elle l'avait choisi parmi les trois garçons et, étrangement, elle avait beaucoup changé : ses cheveux étaient plus longs, ses yeux étaient soulignés de khôl et de fard, ses lèvres paraissaient cramoisies et elle avait une forte poitrine. Elle n'était plus la petite fille d'une dizaine d'années qui nous était apparue.

Elle posa sa bouche sur celle de Justin qui, surpris, n'opposa aucune résistance, comme hypnotisé par une grande force psychique. Elle porta ses bras autour du cou du jeune homme et le tint serré contre sa poitrine en prononçant sans arrêt : « Justin, mon amouuur ! » Le garçon était sous l'envoûtement et Marie-Laure, obnubilée par la jalousie, n'accepta pas que Gertrude Masson tente de lui ravir son amoureux. Elle hésita, ne sachant comment réagir devant un fantôme. Telle une mère chatte, elle se rua sur la masse lumineuse, poings fermés, rage à la bouche.

— Ce n'est qu'une illusion, Marie-Laure. Laisse-la, sinon elle va se venger. Tu sais de quoi elle est capable, lui conseilla Jeanne.

Marie-Laure se calma. «Rien qu'une illusion», répétait-elle.

— Mais, c'est qu'il a l'air d'aimer ça! ajouta-t-elle.

— Tu vois bien qu'il est sous son emprise. Justin n'a pas voulu ça, voyons donc! Laisse-les.

Marie-Laure se mit à pleurer en prononçant doucement le nom de son amoureux.

Tout à coup, Justin se leva et suivit Gertrude Masson jusqu'au fond de la grotte, comme s'il marchait au-dessus du sol. Ils se tenaient la main et Justin bécotait Gertrude, mû par une force irrésistible. Ils disparurent et la suite ne se raconte pas. Gertrude avait enlevé Justin sous notre regard. Pas moyen de le ramener avec nous. Jeanne tentait de consoler Marie-Laure, Simon voulut partir à la suite de Justin et de son fantôme, mais je l'en dissuadai en raison de tous les gestes de violence dont je savais Gertrude capable.

Nous ne pouvions pas quitter la grotte sans Justin parce que je n'aurais pas su quoi dire à ses parents. Marie-Laure faisait pitié à voir tant elle pleurait dans les bras de Jeanne. Il n'était pas possible qu'un amour aussi précieux que celui qui unissait Justin et sa copine soit détruit par un simulacre de jeune fille, errant parmi nous depuis des semaines, un esprit qui avait des comptes à régler, un lémure qui était prêt à faire payer des enfants à cause d'une injustice.

Les documents de monsieur O'Toole n'annonçaient rien de bon. Une âme avait été oubliée dans le calcul des victimes de l'effondrement de la mine Carson ce 16 juillet 1935, alors qu'un horrible déluge tombait sur le Québec faisant trois morts et cinq blessés dans la métropole, qu'il y avait une éclipse totale de la Lune et que rien ne pouvait étonner davantage. Rien dans les archives officielles ne parlait d'une trente-huitième victime et il me sembla, pourtant, que cette dernière devait être la petite Gertrude Masson.

Dans la liste des victimes, nulle Gertrude Masson. Pourtant, sa mère n'avait pas cessé de lui répéter qu'il fallait qu'elle aille porter quelque chose à son père, qu'elle devait se hâter sinon il serait trop tard. À force de réfléchir, je conclus que Gertrude avait sans doute eu la mission d'aller porter son goûter ou son parka à monsieur Masson à la mine et qu'elle devait y aller le plus tôt possible sinon, elle allait mourir elle aussi. La petite n'y était pas allée assez rapidement pour éviter l'accident. Je gardai mes prétentions pour moi-même, mais je me dis que j'allais amasser plus d'indices avant de discuter avec la Brigade.

Chapitre

7

Il était temps que je communique avec Léo Lalumière, mon vieux pote qui s'y connaissait en esprits, fantômes et autres apparitions inexplicables. Je devais comprendre la présence de Gertrude Masson et surtout sa croissance, pour ne pas dire son vieillissement, en vue de s'approprier littéralement l'esprit de Justin.

Après une heure, elle l'avait laissé partir, mais notre retour au village de Clarandale ne se fit pas sans heurts. Marie-Laure ne pouvait pas se résoudre à pardonner à Justin, qu'elle accusait de s'être facilement laissé envoûter par le fantôme d'une morte. Je trouvais son attitude un peu infantile. Il était évident que Justin avait été une victime, puisqu'il ne se souvenait aucunement d'avoir embrassé Gertrude ni d'avoir quitté le groupe pour se trouver seul avec elle. Même que, quand Simon et Petit Thomas lui avaient raconté ce qui s'était passé, Justin s'était mis à rire, ce qui avait insulté sa copine. Depuis, la jalousie détériorait leur relation. Marie-Laure promettait de faire payer Gertrude Masson, fusse-t-elle un esprit. Cette fille voulait retourner dans le monde des morts, soit! Marie-Laure jura que sa rivale y retournerait.

* * * *

Léo Lalumière faisait un séjour à Ubud au centre de l'île de Bali depuis le début de l'année. Six mois à scruter son âme, à se frotter à la méditation et au yoga, à fréquenter les déesses de pierre des *pura* hindouistes, les forêts luxuriantes et les musées. Il allait revenir au Québec dans quelques jours et promit de venir me voir à Clarandale. J'allais l'héberger, il allait sans dire. L'organisation de ce voyage, par la rareté des routes et l'éloignement, s'avérait toujours une grande aventure : pour se rendre à Clarandale, il fallait prendre l'avion, puis l'hydravion jusqu'à la mine. J'appréciais encore davantage que Léo accepte de se rendre jusqu'à moi.

* * * *

Je dois ici interrompre mon récit afin de vous présenter Léo Lalumière pour que, lorsque vous lirez son premier dialogue, vous ayez une idée exacte de l'hurluberlu qu'il représentait.

Léo était un homme grand et maigre. Il avait très peu de cheveux, mais ceux qui ornaient son occiput étaient très longs, effilochés et attachés à l'aide d'un cordon de cuir. La mèche ainsi obtenue était entourée sur toute sa longueur de la peau d'une vipère de Russell qu'il avait lui-même tuée alors qu'elle allait s'en prendre mortellement à une jeune Taïwanaise. Léo portait des vêtements de couleurs vives, jamais assorties, des tas de bracelets, des colliers de plumes et de poils de singes, et des chaussures artisanales qu'il avait appris à fabriquer avec des cuirs exotiques. Si encore ses excentricités n'étaient que vestimentaires !

Léo Lalumière avait plusieurs tics langagiers, allant du zozotement à une écholalie, qui consiste à répéter la dernière phrase prononcée par son interlocuteur. En résultaient des conversations difficiles à suivre. Léo aimait également manger en grande quantité les aliments qui accompagnent habituellement les repas. Ainsi, il pouvait se nourrir exclusivement de ketchup, ou de moutarde, ou encore d'un grand bol d'oignons crus. Malgré sa minceur, mon ami mangeait jusqu'à dix fois par jour.

Léo parlait une douzaine de langues apprises lors de ses longs séjours dans tous les coins de l'univers. Cela n'aidait en rien à contrôler ses troubles de langage. Sa dernière lubie était de promener, au fond de sa sacoche de cuir, une petite bête étrange amassée dans quelque forêt tropicale. La dernière fois que je l'avais vu, Léo transportait un élytre cuivré dans une petite boîte de bois de rose qu'il présentait à tous les gens qu'il rencontrait. Fou, vous croyez? Pas du tout, Léo Lalumière était un être plein d'indulgence, charmant, généreux et immensément curieux. Tout l'intéressait dans ce monde.

Il affirmait qu'il s'était intéressé aux esprits, fantômes, spectres et manifestations supranaturelles le jour où il en fut témoin. Il me raconta que ses parents habitaient un logis au troisième étage d'un quatre logements, à Montréal, et qu'un soir, à vingt heures précises, la berceuse dans la cuisine se mit à s'agiter toute seule. Elle tanguait avec énergie, puis un peu plus calmement. Sa mère, apeurée, demanda à l'entité qui elle était exactement. Tous les soirs à vingt heures, la berceuse s'agitait. On fit venir le prêtre de l'évêché responsable des exorcismes. Ce dernier fit des incantations et prononça des prières pour inciter le diable à quitter le logement des Lalumière.

Pendant un an, la berceuse se manifesta et la frayeur modifia la vie de la famille. Les Lalumière déménagèrent et le logis demeura inhabité jusqu'à ce que des chasseurs de fantômes appelés en renfort se soient aperçus qu'à quelques pas du logement hanté, on creusait le métro. D'après les ingénieurs, le logement des Lalumière se situait précisément dans la zone longeant la ligne des explosions visant à creuser le tunnel. Selon eux, ce sont ces secousses qui agitaient brusquement la chaise des locataires.

Malgré les explications rationnelles, Léo se mit au travail et étudia tous les cas de manifestations de l'Au-delà, tentant de leur trouver une origine. Il créa la firme *Ouija et si...* et étrangement, ne manqua jamais d'ouvrage. Appelé partout dans le monde, s'intéressant au vaudou, à la sorcellerie, aux apparitions de toutes natures, il ne mit que quelques années pour devenir le plus grand expert en fantômes et en esprits maléfiques de la planète. Il était surtout mon meilleur ami.

✻ ✻ ✻ ✻

Léo arriva le 2 août par hydravion et se posa sur le petit lac Jérôme, à quelques kilomètres seulement de la mine Carson. Il était vêtu de jaune de pied en cap, aussi jaune que le soleil qui s'enfonçait dans l'horizon liquide. La Brigade attendait mon ami avec curiosité et anxiété. Gertrude Masson s'était calmée depuis cette crise amoureuse qui avait détruit, en quelque sorte, la relation de Justin et de Marie-Laure. Cette dernière tâchait tant bien que mal de se convaincre que toute cette affaire n'était que du cinéma et qu'un esprit, aussi maléfique fût-il, n'était qu'un esprit. Elle savait que Gertrude n'existait pas pour de vrai et qu'après l'intervention de Léo Lalumière, elle saurait bien pardonner à Justin. En attendant, elle était très fâchée et préférait ne pas se trouver en présence, manière de parler, de cette petite rivale.

Je voyais que Marie-Laure changeait beaucoup et qu'elle attisait sa grande peur en inventant mille scénarios, craignant malgré tout que Gertrude Masson ait le pouvoir de lui enlever Justin pour toujours. Elle lisait des histoires d'esprits maléfiques qui pouvaient décimer une population tout entière. Mais jamais ne voulut-elle en parler aux adultes de sa famille, même si elle comprenait que sa mère surtout discutait, avec ses clientes, de soupçons qu'elle entretenait au sujet des amis de sa fille. Elle avait même dit à Simone, la grand-mère de Jeanne, qu'elle craignait que j'exerce une influence néfaste sur les cinq jeunes de sa classe. Simone la rassura, mais en parla tout de même à Sylvette, la mère de Justin, qui ne fit que poser des questions vagues à monsieur Carson pour savoir s'il était satisfait de mon travail. (Ne vous en faites pas, ça m'a pris moi-même six mois à connaître les noms des parents de mes élèves.)

Les parents des membres de la Brigade nageaient dans une atmosphère de doute et d'inconfort, mais aucun de mes élèves ne révéla quoi que ce soit. Ils jugeaient que les adultes ne pourraient jamais croire en ces histoires de fantôme, surtout s'ils apprenaient que le professeur de leurs enfants avait quelque chose à y voir.

Léo attendait, sur le flotteur gauche de l'hydravion, que ma barque aille les récupérer, lui et ses bagages. Il agita les bras en m'apercevant. Il sortit un goupillon pour bénir à sa façon le lac Jérôme. Quand je fus assez près de lui, accompagné de Simon et de Petit Thomas, il nous apostropha :

— Salut, salut!... Je suis heureux, heureux oui, d'être parmi vous. Quel merveilleux endroit. Il était temps, oui temps, que j'arrive.

Le pilote lui tendit un, deux puis trois autres bagages et une espèce d'épouvantail artisanal qu'il déplia ; il demanda ensuite qu'on l'assoie sur le devant de la chaloupe, comme une figure de proue. Je voyais les sourires amusés des autres membres de la Brigade qui surveillaient la scène de la rive. Ils venaient de comprendre que Léo Lalumière portait bien son patronyme : illuminer le reste de leurs vacances.

* * * *

93

C'était la première fois que les parents des membres de la Brigade ainsi que quelques curieux se pointaient sur le bord du petit lac Jérôme, d'abord par curiosité, mais aussi pour en savoir un peu plus sur les activités de leur aîné. Les Prieur, les Coudrieux, les Delisle, les Letendre et les *Petitomatois*, comme on appelait les parents de Petit Thomas, s'étaient massés sur la rive et discutaient joyeusement. Les jumeaux Tom et Zac lançaient des cailloux à la surface de l'onde. Monsieur Dupuis avait emmené son fils Marcel, un grand garçon de trente ans qui souffrait d'une déficience intellectuelle, ayant quelque part entre six et huit ans d'âge mental.

Simone aimait bien Marcel et elle lui apportait chaque jour, ou presque, une boîte de sucre à la crème ou de biscuits. Marcel avait adopté Simone Lanctôt depuis l'arrivée des nouvelles familles à Clarandale ; ainsi se tenait-il collé à elle. Les adultes discutaient donc entre eux de la météo, de la dernière coiffure à la mode, du prix de l'or à la hausse, des nouveaux outils à utiliser dans la mine, d'une potentielle augmentation de salaire...

Sans avertissement, au moment où je terminais les présentations d'usage et j'expliquais aux parents l'histoire de mon amitié avec Léo Lalumière, apparut, après quelques semaines d'absence, le spectre de

Gertrude Masson. Personne ne semblait la voir, excepté les membres de la Brigade. Cela rendit les jeunes nerveux. Qu'arriverait-il si les adultes (autres que moi, bien entendu), voyaient le fantôme de la jeune fille de la mine ?

Justin fit un signe discret à Simon, qui fit de même à Marie-Laure ainsi qu'à Jeanne, qui détourna l'attention de sa grand-mère. Celle-ci semblait regarder du côté de l'apparition. Je ne sus pas si Léo voyait Gertrude. Il s'adressa aux gens présents en sautant sur la rive :

— Bonsoir, messieurs-dames, en effet, bonsoir ! Quelle belle soirée, soirée, oui ! Vous êtes sans doute les familles des étudiants de Monsieur Jacques, mon bon ami, Monsieur Jacques, oui. Des jeunes allumés, il paraît. Il paraît.

Les parents entourèrent mon olibrius d'ami Léo et l'accueillirent comme le leur, ce qui me plut grandement. Je craignais tant que son extravagance puisse les rebuter. En suivant le regard de Léo, je constatai qu'il voyait Gertrude et qu'il éprouvait une joie difficilement contenue. Je savais qu'il avait hâte de rentrer chez moi pour en discuter. Gertrude tournoyait devant Justin, lui embrassait les cheveux, et le jeune homme n'osait lui opposer aucun geste, car il ne voulait pas alerter ses parents ou se faire accuser d'une folie passagère.

Tout à coup, la grand-mère Simone s'exclama :

— MON DIEU !

Jeanne lui prit aussitôt la main.

— Qu'est-ce que tu as vu, mamie ? Le monstre du Loch Ness ?

Les autres membres de la Brigade, Léo et moi, étions interloqués et craignions que notre aventure ne soit interrompue si les parents apprenaient la présence de Gertrude Masson. Sûr qu'ils me feraient congédier sur-le-champ par monsieur Carson s'ils constataient que leurs enfants faisaient partie d'un groupe de traqueurs d'esprits. Surtout s'ils apprenaient qu'il y en avait un pour de vrai. Je pouvais imaginer les articles dans tous les journaux à sensation et les demandes d'entrevues que je ne désirais pas vraiment donner. Je n'avais jamais souhaité semblable popularité. J'avais grand intérêt à cacher ma participation à ces activités qui bousculaient la vie des enfants... et la mienne.

— J'ai vu un gros poisson sortir de l'eau. Un monstre, je vous dis. Personne ne l'a vu ? lança-t-elle aux autres adultes.

Léo et moi fûmes soulagés. Les jeunes aussi. Gertrude multipliait les gestes amoureux envers Justin, qui ne savait plus comment réagir. Marie-Laure gardait les yeux fermés et je sentais qu'elle allait éventuellement exploser et sauter sur Gertrude pour l'assassiner. Je ris en y repensant.

Léo rassembla alors tous les adultes autour de lui et leur exposa sa collection de boîtes à criquets. Il sortit également de son havresac un couple de salamandres à quatre orteils, qui eurent l'heur d'épater toutes les mamans. On entendit alors :

— Un fantogne, un fantogne !

On se tourna tous en direction du pauvre Marcel qui montrait du doigt l'esprit de Gertrude Masson en plissant le nez. IL LA VOYAIT.

Justin nous rappela que seuls les jeunes qui croyaient aux fantômes pouvaient voir Gertrude. Marcel était un simple d'esprit, même s'il avait trente ans. Il était rempli d'une naïveté assez précieuse pour lui permettre de vivre en paix dans une telle communauté fermée. Son père aimait son fils et tout le village l'appréciait. La comédienne Marie-Thérèse Hébert consacrait au jeune homme plusieurs heures par semaine à raffiner son langage, et grand-mère Simone l'emmenait avec elle rencontrer les gens du village, faire son épicerie et même lui faire choisir des livres pour enfants à la bibliothèque. Marcel ne croupissait pas au fond de sa chambre à chercher un sens à sa vie ; il était bien entouré et surtout respecté.

J'avais déjà entendu parler d'un propriétaire minier qui avait embauché trois déficients intellectuels — dont leurs parents voulaient en quelque sorte se débarrasser — pour les faire suer au fond de sa mine à actionner le skip, à transporter les explosifs ou à surveiller les convoyeurs. J'avais fait lire à mes étudiants le poème de Victor Hugo « Melancholia », au sujet du travail des enfants dans les mines, dont toutes les strophes me revenaient :

MELANCHOLIA

Où vont tous ces enfants dont pas un seul ne rit ?
Ces doux êtres pensifs que la fièvre maigrit ?
Ces filles de huit ans qu'on voit cheminer seules ?
Ils s'en vont travailler quinze heures sous des meules ;
Ils vont, de l'aube au soir, faire éternellement
Dans la même prison le même mouvement.
Accroupis sous les dents d'une machine sombre,
Monstre hideux qui mâche on ne sait quoi dans l'ombre,
Innocents dans un bagne, anges dans un enfer,
Ils travaillent. Tout est d'airain, tout est de fer.
Jamais on ne s'arrête et jamais on ne joue.
Aussi quelle pâleur ! La cendre est sur leur joue.
Il fait à peine jour, ils sont déjà bien las.
Ils ne comprennent rien à leur destin, hélas !
Ils semblent dire à Dieu : « Petits comme nous sommes,

Notre père, voyez ce que nous font les hommes! »
Ô servitude infâme imposée à l'enfant!
Rachitisme! Travail dont le souffle étouffant
Défait ce qu'a fait Dieu; qui tue, œuvre insensée,
La beauté sur les fronts, dans les cœurs la pensée,
Et qui ferait — c'est là son fruit le plus certain! —
D'Apollon un bossu, de Voltaire un crétin!
Travail mauvais qui prend l'âge tendre en sa serre,
Qui produit la richesse en créant la misère,
Qui se sert d'un enfant ainsi que d'un outil!

Je me rappelais combien mes étudiants avaient été
touchés par ce poème. Hugo connaissait bien le travail minier, si nécessaire au milieu du XIXᵉ siècle! Mes
jeunes comprirent l'essence même de ce travail ingrat
et du même coup, la grande bonté de Robert Carson à
leur égard.

Ainsi, Marcel avait vu Gertrude Masson. Nous
avions un problème! Quoique je me dis que nous pouvions compter sur son innocence: les adultes ne le croiraient pas...

Au moment où l'assemblée choisit de quitter les
abords du lac Jérôme, Gertrude Masson décida d'épater la galerie en allumant un feu de broussaille juste
derrière un petit groupe d'enfants, ce qui surprit tout
le monde.

— Zac, Tom! Qu'est-ce que vous avez fait? Je vous ai interdit de jouer avec le feu! Donnez-moi les allumettes tout de suite! cria Robin Prieur, tandis que madame Hébert fixait le pauvre Marcel.

— C'est toi, Marcel? Le feu, c'est dangereux, tu le sais!

Marcel, éberlué, désigna le ciel et s'adressa à monsieur Prieur.

— C'est la dame, c'est la dame qui a allumé le feu. C'est la dame blanche!

Avant que la situation ne s'envenime, mon ami Léo suggéra d'éteindre le feu probablement déclenché, dit-il, par un éclair magnétique causé par la chaleur et la sécheresse. Tout le monde le crut.

— Marcel a toujours des visions, dit grand-mère Simone en riant. La dame blanche pour lui, c'est un nuage dans le ciel. Il voit ainsi toutes sortes de personnages dans le ciel. Pas vrai, Marcel? Tu as vu un nuage?

— Un nuaze, un nuaze!

Marcel voyait Gertrude. La suite des choses n'allait pas s'avérer de tout repos. Je regrettais presque de m'être embarqué dans cette galère étonnante. Mais la présence de mon ami Léo m'apporta tout le réconfort nécessaire pour continuer cette aventure.

Quelques minutes plus tard, je constatai, comme tous les autres, que Gertrude Masson s'était retirée. Je vis Justin tenter d'approcher Marie-Laure qui, elle, le fuyait. Je les sentais très malheureux. Je me dis que je devais intervenir, mais pas avant d'avoir consulté Léo.

Chapitre

8

L éo était ravi de boire un vrai thé d'un théier de Chine. Nous avions tant à nous raconter. Il avait voyagé et nous dûmes vider trois pleines théières en nous rappelant nos bons moments et en nous racontant nos récentes années, lui voyageant, moi enseignant à un groupe d'adolescents futés.

Quand j'entrepris le récit des événements survenus depuis notre déménagement à Clarandale, Léo fut très excité d'entendre parler de Gertrude Masson. Il m'écoutait et prenait des notes sur une tablette électronique, ce qui me surprit étant donné qu'il me semblait quelqu'un de totalement débranché.

— Tu me dis que ses traits se sont précisés, puis qu'elle s'est mise à vieillir jusqu'à atteindre l'âge de tes élèves, oui, de tes élèves?

— Oui, et elle est tombée amoureuse de Justin, le plus âgé du groupe. Il a une petite amie depuis deux ans...

— Marie-Laure? Laure-Marie?

— Marie-Laure.

— Et comment réagit-elle, c'est ça, réagit-elle?

— Elle dépérit à vue d'œil. Elle est terrorisée par les apparitions de Gertrude. Elle est très enragée, mais n'ose pas faire quoi que ce soit.

— Et Justin, lui? Oui, Justin?

— Il est très attristé. Il ne sait pas quoi faire, lui non plus. D'ailleurs, je t'ai appelé pour que tu nous viennes en aide. Ces jeunes ne méritent pas ça.

Léo ferma les yeux et se mit à réfléchir. Il semblait remettre tous mes renseignements dans l'ordre et dessina les intervenants sur une page blanche dans son carnet. Il mit au moins quinze minutes, gardant le silence, pour bien comprendre le problème.

— Mon cher Jacques, oui Jacques, il faudra organiser une rencontre officielle avec cette enfant.

— Une rencontre? m'inquiétai-je.

— Nous allons trouver un lieu propice, oui propice, et un moment précis pour l'aider à disparaître. Laisse-moi faire des recherches, c'est ça, des recherches.

Léo sortit un livre de cuir intitulé *Chroniques du Diable à l'usage des bons vivants.*

— Que vas-tu trouver dans ce bouquin? Ça me semble un recueil de blagues.

— Oh, que non! Dans ce livre, il y a des recettes, bien sûr. Oui, des recettes. Mais surtout, des cérémonies mystérieuses qui aident les morts, oui, les morts, à quitter la Stratosphère Bilieuse pour joindre, c'est ça, joindre le monde parallèle. On l'appelle le *Stratos pi 14.19.* Attention, Jacques! Oui, c'est ça, Jacques! Il faut garder ça secret. Juste toi et moi. Laisse-moi trouver d'abord.

Léo avait assimilé tous les éléments que je lui avais rapportés et savait désormais où il devait chercher. Il fallait absolument qu'il arrive à désamorcer l'emprise qu'exerçait Gertrude Masson sur Justin et par le fait même, sur mes élèves et potentiellement, sur un village tout entier.

* * * *

Pendant que Léo était penché sur son espèce de grimoire, je vis arriver grand-mère Simone flanquée de Marcel Dupuis, qui ne la quittait jamais d'une semelle. Elle venait me demander ce qui se passait d'étrange pour que Marcel passe son temps à s'emmurer, à se caparaçonner, à se soustraire à la vie du village et à se lamenter lorsqu'elle imaginait qu'il avait des apparitions. Je fis mine de ne rien comprendre et la retournai avec son protégé fabriquer du sucre à la crème. Sous aucun prétexte ne fallait-il qu'un adulte de Clarandale pût se douter de quelque chose. Mon emploi était en jeu. Ainsi que la sérénité de mes élèves.

Après avoir passé une journée à fureter dans ses *Chroniques du Diable à l'usage des bons vivants*, Léo sortit le museau sur le balcon. Il faisait une chaleur indescriptible. Les jeunes ne mirent que quelques minutes après que je leur eusse envoyé un message pour se rassembler autour de nous. Léo avait quelque chose d'important à nous dire. Nous nous rendîmes dans la salle communautaire.

— Bon, où êtes-vous rendus ? demanda Justin à notre spécialiste en fantômes. Je ne peux plus endurer Gertrude Masson, Léo. Elle est en train de briser nos vies à tous et nos parents sont inquiets. Le pire, c'est que Marcel semble entretenir avec elle des discussions. Marcel, vous savez, n'a pas...

— Marcel est un transmetteur innocent, c'est ça, innocent, affirma Léo. Un médium inconscient. Aucune connaissance ne vient interférer dans le cours des événements. Oui, des événements. Il ne faut pas le négliger, c'est ça, ne pas le négliger. Il peut entrer en communication directe avec votre fantôme. Gertrude va bientôt entrer dans une autre phase de sa vie mortelle. Oui, mortelle. La plus importante. Elle aura besoin d'assistance. Bien sûr, d'assistance. Marcel pourra l'aider à rejoindre les membres de sa famille, c'est ça, de sa famille. J'ai lu, dans les documents que m'a remis votre professeur, Monsieur Jacques, que le 16 juillet 1935, il y a eu une déflagration puis un effondrement de deux galeries dans la mine. Oui, dans la mine.

— Oui, ça, on le sait, dit Marie-Laure, sur un ton qui parut effronté.

— Tu... tu... tu... tutut! Je ne fais que remettre les scènes dans l'ordre, ma jeune amie. Soyez patiente, oui, soyez patiente! dit Léo en riant.

Au même moment, l'esprit de Gertrude apparut et se rua sur Justin qui aurait sans doute préféré être demeuré dans sa chambre ce jour-là. La scène nous renversa tous. La jeune fille entra dans une colère jamais égalée. Jeanne et Petit Thomas se collèrent l'un contre l'autre, Simon demeura pétrifié tandis que Marie-Laure se lança du côté de Gertrude Masson, les bras levés, dans une rage inquiétante. Je voulus intervenir quand Léo me tira le bras avec fermeté.

— Laisse-les ! Je crois que Gertrude Masson sait quoi faire. Envoie plutôt le petit chercher Marcel.

Petit Thomas n'attendit pas que Léo le lui dise deux fois. Il se leva et sortit en courant du côté de chez les Dupuis.

Léo devenait solennel, comme imprégné d'une mission de la plus haute importance.

La scène suivante, j'ai du mal à la raconter tant elle m'a bouleversé. Marie-Laure serrait les dents et sa colère montait au point que son visage se déformait. Gertrude Masson se distancia de Justin pour envelopper d'une aura incandescente la compagne de celui qu'elle aimait passionnément. Une guerre amoureuse allait se produire. Une grappe de sons aigus se fit entendre alors que personne ne bougeait.

— Tu vas voir ce qui va t'arriver si tu ne laisses pas Justin tranquille ! cria Marie-Laure en sautant dans le halo de lumière.

— Il est à moiiiiiiiii ! chuchotait Gertrude. À moiiiiii !

— Il ne t'aime pas ! ajoutait Marie-Laure en crachant.

Léo, lui, était excité comme un enfant par cette scène qu'il n'avait imaginée que dans ses manuels. Justin avait un teint cadavérique et se mouvait dans l'espace comme une marionnette à fils que manipulait une main invisible.

— Elles vont se battre, Jacques, tu vas voir elles vont se battre ! Oui, se battre ! La vie contre la mort. C'est... c'est fascinant ! Je n'ai jamais assisté à une rixe pareille, oui pareille ! C'est merveilleux !

J'étais consterné. Léo s'amusait alors que la situation pouvait mener à la fermeture, disons-le, de la mine Carson. Quel être étrange !

— Léo, comment peux-tu ?

— Écoute, mon ami. Oui, écoute bien. Nous assistons au départ définitif d'une petite fille qui n'a pas eu le temps de retourner au Royaume des Morts à l'instar de toutes les victimes de l'effondrement du 16 juillet 1935, oui 1935. J'ai lu dans tes notes, Jacques, que sa mère l'a envoyée porter le goûter de son père dans la mine et que cette dernière s'est écroulée au même moment, l'emportant, elle, avec son père et les autres mineurs, c'est ça, les autres mineurs. Nulle part je n'ai aperçu une tombe pour ces disparus. Il y a une stèle qui nous indique que seule la jambe d'un certain O'Toole peut témoigner qu'il est mort dans les décombres. Oui, les décombres. Mais il n'y a aucun mausolée pour les

autres victimes. Et les gens parlent de trente-sept disparus, mais c'est le nombre trente-huit qui figure dans les
documents officiels. La trente-huitième victime, c'est
Gertrude. C'est ça, Gertrude. Elle a décidé de vous hanter ainsi que Marcel et moi parce que nous sommes les
seuls à la voir.

— Pourquoi les autres ne la voient-ils pas ?
demandai-je avec la voix tremblante.

— Parce que toi et tes élèves, vous avez développé votre imaginaire dans les livres. Oui, les livres.
Tu les as préparés à cette aventure, Jacques. Moi, parce
que je m'intéresse à l'Au-delà depuis mon enfance, oui,
depuis mon enfance. Et Marcel, parce que sa tête est
libre de tout préjugé.

— Comment viendra-t-on en aide à Marie-Laure ?
On ne peut pas la laisser ainsi recevoir les charges de
Gertrude Masson sans arrêt !

Les deux protagonistes sortirent dehors sur le
tertre herbu. Gertrude tenait Marie-Laure par les cheveux qui s'étalaient comme les filaments d'une méduse.
Une lumière éclatante illuminait la robe blanche de
Gertrude et ses pieds nus lui servaient à la maintenir
attachée à son adversaire. Justin n'appartenait plus à
notre monde et je n'arrêtais pas de m'inquiéter pour
lui. J'imaginais que ses parents feraient de moi de la
pâtée pour les chats. Je ne pouvais rien faire pour inter-

rompre cette lutte diabolique. Qui allait la remporter ? Je ne croyais pas beaucoup aux activités supraterrestres. Ou, du moins, tentais-je de m'en dissocier. Songeant que les adultes du village apercevraient sans aucun doute la lumière et le mouvement des ondes, je commençai à paniquer.

— Qu'est-ce qu'on fait, Léo ? criai-je.

— Marie-Laure tente de sauver celui qu'elle aime. Oui, qu'elle aime. Mais ne sait-elle pas qu'aucun fantôme ne peut lui enlever son amour ? Ce ne sont que des illusions, oui, que des illusions. Elle voit Gertrude tenter de séduire Justin, c'est ça, Justin. Son esprit tente d'entrer dans le corps du garçon, de le posséder, pour l'emmener avec elle. Oui, avec elle. Ses baisers, ses caresses ne sont qu'hallucinations. Justin les ressent, mais ils sont faux.

— Mais Marie-Laure les croit réels !

Ce que je redoutais le plus se produisit : Gertrude lança une boule de feu en direction de Marie-Laure. Le feu se répandit sur le sol et l'herbe s'embrasa sous les hurlements de Jeanne et Simon. Au même instant, Petit Thomas ramenait Marcel qui cachait son visage teinté de frayeur. Arrivé devant la scène, il cria :

— Arrêtez ! C'est assez ! *Waitha bodlisha* ! hurla-t-il avant de se mettre à brailler.

Contre toute attente, le feu s'éteignit et Gertrude disparut d'un seul coup. Marie-Laure se retrouva assise sur le sol, totalement hébétée. Justin sortit de sa torpeur et tout revint comme avant. Il n'y avait aucune trace de cendre ou d'herbe brûlée qui puisse témoigner d'un événement inquiétant. Marcel recommença à babiller. Il sortit une barre énergétique et entreprit de la manger, nullement impressionné par la scène qui venait tout juste de se terminer. Léo applaudissait.

— L'avez-vous entendu ? Il a dit *Waitha bodlisha*! La phrase de Belzébuth quand il a rencontré le Christ sur le Golgotha! Oui, le Golgotha. *Waitha bodlisha*, vous rendez-vous compte!

— Il y aurait donc de la sorcellerie dans cette Gertrude Masson?

— Je serais très surpris, oui surpris. C'était une petite fille sans histoire. Bonne écolière, enfant chérie de son papa, selon ce que j'ai lu.

— Mais les incendies qu'elle crée? Ce froid, cette puanteur... Ça ressemble à des manifestations du diable, dit Jeanne.

— Elle a eu peur de Marcel, dit Simon. Il a dit quelque chose qui l'a décidée à fuir.

Je m'adressai à Marcel avec une infinie précaution.

— Qu'est-ce que tu as dit à la petite fille, Marcel. Tu lui as dit quelque chose de grave, n'est-ce pas ?

— Va-t'en ! que je lui ai dit. Retourne dans la lumière. La lumière qu'on voit derrière la grosse montagne. Tu vois, Monsieur Jacques, elle est partie. On peut jouer au ballon, maintenant ?

Simon et Petit Thomas attrapèrent un ballon de soccer et se le lancèrent pour ensuite l'envoyer à Marcel. Au bout de quelques minutes, l'apparition agressive de Gertrude Masson ne fut plus qu'un souvenir.

Chapitre

9

—Justin, tu ne manges pas ta soupe? demanda Sylvette Audet-Prieur. Je ne sais pas ce que tu as, ces temps-ci, mais je te trouve pas mal étrange. Tu adores la soupe au poulet. Tu n'as pas faim?

— Pas tellement. J'ai mangé deux toasts, ce matin.

— Tu en manges quatre d'habitude. Je suis inquiète. Il se passe quelque chose avec tes amis?

— Mes amis vont bien.

— Monsieur Jacques?

— Monsieur Jacques va bien aussi.

— Marie-Laure ?

Justin crut bon de ne pas répondre. Marie-Laure, malgré l'absence de Gertrude Masson, mettait du temps à lui revenir et à oublier les nombreuses tentatives de la jeune fille de le séduire et de verser sa haine sur elle qui, pourtant, ne lui avait rien fait. Les réunions avec la Brigade devenaient moins fréquentes, mais surtout, moins motivantes. J'essayais d'encourager mes jeunes à oublier Gertrude Masson, mais tant que Léo n'aurait pas réussi à organiser la cérémonie officielle pour précipiter son départ, les jeunes craindraient qu'elle ne réapparaisse soudainement et à n'importe quel moment. L'amitié avait fait place à l'angoisse. De plus, Marcel faisait de l'insomnie, au grand dam de son père, Petit Thomas avait des boutons alarmants sur tout le corps et Justin ne mangeait plus.

Les parents de mes jeunes s'inquiétaient avec raison. La mère de Jeanne, qui s'occupait de la garderie, mettait les autres mères au courant de ses tourments, et Gérard Coudrieux parla de l'attitude de leurs fils avec Robin Prieur et Henri Deslisle. Au salon de coiffure, Carole Masse-Coudrieux étalait sa nervosité sur ses clientes et bientôt, il fallut que j'intervienne pour calmer tout le monde.

Je mis ces multiples changements sur la présence de Léo, avec sa permission, bien entendu. Je leur dis

que mon ami était un chercheur en psychologie diait *l'incidence de l'imaginaire sur la réflexio.. ρ....*
sophique de cerveaux en pleine croissance, sujet de sa supposée thèse de doctorat. Je demandai aux parents de nous donner encore une semaine ou deux (moment prévu de la disparition définitive de Gertrude Masson), pour qu'à l'ouverture des classes de fin d'été, les jeunes soient de nouveau frais et dispos. Mes explications leur plurent et bientôt, mes élèves retrouvèrent leur calme.

* * * *

Léo Lalumière passait des jours le nez dans ses bouquins: *La vie après la vie* de R. A. Moody; *Le Sacré à Java et à Bali* de Merry Ottin; *The Medium, the Mystic and the Physicist* de Lawrence LeShan; *L'Homme éternel* de Louis Pauwels; *Calmer les âmes errantes et les soumettre à notre volonté* de Pierre Souchet; et plusieurs autres titres aussi troublants, selon moi. Plusieurs fois, il tenta d'entrer en relation avec notre fantôme, en vain. Ni brise fraîche, ni odeurs inquiétantes, ni sensations imprécises ne pouvaient témoigner de sa présence dans les parages. Mon ami voulait vraiment m'aider. Il essayait de trouver la bonne issue.

— Il faudra pourtant trouver, oui trouver. Cette enfant est chargée de peine et tes jeunes vivent dans l'inquiétude. Justin et Marie-Laure ont besoin l'un de l'autre, c'est ça, l'un de l'autre. À cet âge-là, l'amour est incommensurable, oui, incommensurable, il est tout ce que la vie peut apporter de beau et de bon. Gertrude le sait et elle a tenté de le rompre. Le rompre, en effet. Elle doit partir, mais je me demande... nom d'un chien mort ! Oui, mort !

— Qu'y a-t-il ?

— Ici, juste ici, dans mon livre. On parle d'un départ en groupe, *Hallan Girsten*, une fuite vers l'Au-delà avant le *Uayeb*. Cinq jours avant la fin de l'année maya, oui, maya. Il ne s'agit pas d'une cérémonie funéraire pour une personne, mais pour un groupe de morts, oui, de morts. Morts qui auraient eu lieu lors d'un séisme, d'un incendie. Alors, voilà !

— Voilà quoi ?

— Gertrude Masson doit partir en même temps que les autres victimes de l'accident à la mine Carson. Les trente-huit. Les trente-huit doivent partir ensemble, c'est ça, ensemble. Nous devrons organiser la cérémonie des adieux ailleurs que dans ce village. Qu'en penses-tu, hein, qu'en penses-tu ?

— Tu veux dire qu'il faut éviter de mettre les parents dans le coup ?

— Tu as tout compris, oui, tout compris. Laisse-moi seul un peu. Je vais continuer à chercher, en effet, à chercher.

Je le laissai seul et me rendis dans ma bibliothèque pour commencer à préparer mes cours de littérature. J'avais envoyé les instruments de musique en ville pour leur entretien. Il me restait à commander les bouquins que je désirais voir mes élèves étudier ou simplement s'emplir dès le début septembre. Ils allaient presque tous sur leurs 16 ans et je croyais qu'ils devaient lire un peu plus de philosophie parmi les maîtres à penser de l'époque d'Aristote et d'Hérodote et de celle de Kierkegaard. Mes élèves étaient des jeunes peu ordinaires qui avaient en commun la plus grande des qualités : la curiosité, comme j'ai dû vous en faire part plusieurs fois.

✳ ✳ ✳ ✳

Vers 15 heures cette journée-là, grand-maman Simone vint me voir. Elle semblait vouloir me rencontrer seule à seul et elle affichait un air très étrange.

— Il faut que je vous parle, Monsieur Jacques. Étant l'aînée de ce village, j'ai le droit d'exercer mon autorité, vous ne pensez pas ?

— Je ne saisis pas.

— C'est au sujet de vos élèves. Marcel m'a raconté que nos jeunes consomment des substances illicites avec vous.

— Comment pouvez-vous imaginer une chose pareille ?

— Il m'a dit que vous voyez des jeunes filles en robe blanche qui volent au-dessus du sol.

— Mais non, Marcel a inventé cela.

— Il m'a dit que la petite Marie-Laure Coudrieux s'est battue avec elle, qu'il y avait du feu et des éclairs. Vous lui avez laissé prendre de la marijuana, Monsieur Jacques ? Ce n'est pas possible autrement. Si vous ne cessez pas cela immédiatement, vous et votre hurluberlu de Léo Lalumière, je devrai informer les parents. Marcel a presque votre âge, mais dans sa tête, c'est un enfant.

— Madame Lanctôt, écoutez-moi. Parce que vous êtes la plus intelligente des habitants de Clarandale, je vais vous faire une confidence : l'esprit d'une petite fille, morte dans l'explosion de la mine en 1935, rôde dans les parages. Vous ne devez le raconter à personne.

— Ne me dites pas ! Elle existe pour de vrai ? Puis-je la voir, moi aussi ?

J'avais le goût de rire. La seule façon d'empêcher grand-maman Simone d'alerter tout le village était de lui dire la vérité pour qu'elle se pense dans le coup. Je préférais qu'elle propage la vérité et que personne ne la croie, plutôt que de lui raconter n'importe quoi pour étouffer l'affaire.

Elle ne raconta rien du tout, mais dès le lendemain, elle se rapprocha des jeunes. Un après-midi, alors qu'elle était seule à la maison avec sa petite-fille Jeanne, elle entama une discussion au sujet de revenants que seules les personnes remplies d'innocence peuvent apercevoir, donnant l'impression qu'elle-même en faisait partie. Jeanne fut très intriguée et commanda une réunion de la Brigade.

C'était le 23 août, à quelques jours du début des classes. Nous avions connu un été fertile en aventures. Nous avions pratiqué la pêche et la chasse à la dinde sauvage au pied de la montagne, nous avions répertorié les espèces de plantes de la région, et surtout, nous avions appris comment interagir avec l'esprit de Gertrude Masson en exerçant un contrôle serré sur les adultes du village.

De mon côté, j'avais accueilli un drôle de zig en participant aux travaux de Léo Lalumière, qui avait songé à s'installer à Clarandale, mais qui avait renoncé à son projet quand il avait reçu une lettre d'une certaine jeune femme. Je n'eus pas besoin de lui demander qui elle était. Je n'avais qu'à observer ses yeux brillants quand il me parlait d'elle. Je me mis à regretter d'avoir mis fin à mon idylle avec ma Sophie, dont je ne vous ai pas encore parlé. Sophie Martin. Il suffisait de la nommer pour avoir la certitude qu'elle m'aimait encore. C'est grâce à elle que je m'étais retrouvé à l'emploi de la mine Smothers, puis ensuite, de la mine Carson…

Nous nous sommes retrouvés dans la salle communautaire à 19 heures. Nous avions invité Léo, mais pas Marcel et encore moins grand-mère Simone, même s'ils connaissaient l'existence de Gertrude.

Jeanne exprima son inconfort quant à l'intrusion de sa grand-mère dans nos affaires. Justin et Marie-Laure, qui avaient retrouvé une sorte de paix amoureuse, si je puis m'exprimer ainsi, tentaient de reprendre là où ils avaient laissé. On décida tous, sur le conseil de Léo, de ne pas pousser plus loin nos confidences à Simone.

Léo n'avait jamais cessé de faire des recherches. Il allait bientôt, disait-il, nous proposer une date pour la fameuse cérémonie d'adieu à notre petite revenante et aux 37 autres victimes. Il fallait que Gertrude accepte de se glisser dans l'Au-delà avec les autres. Les dates du calendrier maya semblaient correspondre avec les cinq derniers jours qui célébreraient l'anniversaire de *Pacal*, le premier Seigneur de la nuit. Léo envisageait le mois de septembre, le mois des Bonnes Moissons pour les anciennes civilisations. Il lui restait quelques vérifications à faire avant de décréter la date du Grand Départ.

Toutes ces considérations me tenaillaient. J'avais de plus en plus de mal à dormir, je craignais tant qu'il arrive quelque chose de fâcheux à mes cinq élèves. Quant à Marcel, les apparitions de Gertrude ayant cessé depuis ses échanges musclés avec Marie-Laure, il n'y pensait plus.

* * * *

Mes élèves allaient passer leur automne le nez dans les œuvres de Gabriel García Márques, Romain Gary, Umberto Eco, Aristophane et Platon, et ils feraient quelques incursions du côté des existentialistes du XXe siècle. Je voulais former leur pensée à la compréhension ou, du moins, au questionnement relatif à l'existence et à la mort. Ils avaient la chance de vivre une expérience intense du côté de l'arrêt abrupt de la vie et de rencontrer mon ami Léo Lalumière, qui devenait pour eux la plus belle aventure. N'oubliez pas : la curiosité est l'apanage des gens brillants.

* * * *

Cette réunion de la Brigade aurait pu être notre dernière. Pendant que Léo nous expliquait ses prochaines actions et comment allait se dérouler la cérémonie que nous avions surnommée *L'adieu au premier Seigneur de la Nuit,* une immense boule de feu s'abattit sur le centre communautaire et mit trois ou quatre minutes à nous circonscrire. Gertrude Masson était revenue!

Ma première réaction fut de crier *Waitha bodlisha!* comme l'avait dit Marcel, ce qui avait eu pour effet de faire disparaître Gertrude. Cette fois, cette incantation n'offrit aucun résultat. Bientôt, les flammes s'emparèrent de la bâtisse, entrant par les fenêtres, brûlant tout sur leur passage. Les épinettes qui longeaient la salle s'enflammèrent à leur tour. La chaleur écrasa l'atmosphère assez rapidement et nous allions périr tous les sept si Marcel, assis sur son vélo, n'avait pas alerté le responsable des pompiers volontaires de Clarandale.

Le garçon — qui, vous vous en doutez bien, était le seul à voir l'incendie — fit tant de démonstrations de son énervement que Monsieur Sirois sortit le boyau entortillé le long du mur des bureaux de Bob Carson et arrosa généreusement le mur et le toit de l'édifice se disant que c'était bien peu pour calmer Marcel. Un jeu, croyait-il. Mais ce qui était un geste de théâtre pour le pompier eut pour effet de nous sauver la vie. «À faux feu, fausses manœuvres », me dit Léo en sortant de la salle communautaire. Nous avions du mal à respirer, mais nos vêtements ne sentaient pas la fumée. Nous réalisâmes donc que toute cette mise en scène avait été orchestrée par Gertrude qui devait vouloir nous avertir de quelque chose d'important. Léo croyait que la revenante voulait nous punir, sans aucun doute. Nous punir de quoi ?

Trois jours après cet incident, pour lequel le sapeur-pompier Albert Sirois se vantait de n'avoir « joué » que pour calmer le pauvre Marcel, affirmant à la fois qu'aucun incendie n'avait eu lieu, Jeanne se leva avec une forte fièvre.

À la mine Carson, un seul médecin venait, par hydravion, visiter les villageois une fois par mois. La super infirmière, Yolaine Viau, prenait en charge les blessures mineures, les maux de tête, les maladies infantiles, les éruptions cutanées et voyait à l'application de mesures de prévention pour garder les employés et leur famille en santé. De mauvaises langues racontaient que madame Viau était la maîtresse de Bob Carson à temps partiel, tandis que madame Carson fréquentait le Doux Raoul et que Monsieur Carson était le sujet de mille railleries. Dans les chaumières, on l'avait surnommé Kaboum-le-cocu.

Louise Joubert s'occupait de sa fille du mieux qu'elle pouvait selon les conseils de l'infirmière, mais la fièvre ne baissait pas malgré les antipyrétiques. Son père demanda à Yolaine Viau ce qu'il fallait faire et l'infirmière téléphona au médecin installé en ville. Pour éviter les convulsions dues à une trop forte fièvre, on plongea Jeanne dans une baignoire d'eau fraîche. Étrangement, l'eau se teinta de vert dès que le corps de Jeanne y toucha. L'histoire fit le tour du village et on extrapola : c'était une réaction chimique causée par l'eau du puits entouré de pyrite ou d'autres composantes ferreuses ; c'était la composition de l'épiderme de Jeanne ; c'était le diable qui agissait.

La grand-mère Simone prit la relève et s'occupa jour et nuit de sa petite-fille avec tout l'amour nécessaire. Elle lui cuisinait des bouillons de poulet que mon élève avalait avec des biscuits soda, la frictionnait avec de l'alcool, appliquait des compresses fraîches sur son corps, lui racontait des histoires et gérait les visites de ses amis de la Brigade. J'obtins le droit d'aller lui lire des extraits d'*Alice au Pays des Merveilles* de Lewis Carroll et de *Vingt mille lieues sous les mers* du grand Jules Verne, auteur qui avait comblé ma jeunesse. J'étais très intrigué par le teint verdâtre de Jeanne. Une maladie étrange.

Le lendemain, alors que je recevais les livres que j'avais commandés et que je les examinais attentivement, passant une main affectueuse sur leur dos, Marie-Thérèse Hébert apparut sur le seuil de ma porte : Petit Thomas était affecté par une fièvre de cheval.

Je courus au bureau de l'infirmière et lui demandai de convoquer le docteur de toute urgence, ce qu'elle fit. Le médecin était de service à l'urgence du centre hospitalier, mais il promit de venir à Clarandale le plus tôt possible.

Chapitre

10

Peu avant l'arrivée du médecin en hydravion sur le lac Jérôme, Justin se déclara malade. Fièvre élevée, sueurs froides, tremblements, il présentait des symptômes identiques à ceux de ses deux camarades. La panique s'était emparée des parents, et monsieur Carson était nerveux.

Pourtant, les habitants de Clarandale mangeaient de la viande fraîchement abattue, des légumes de leurs potagers ou en provenance du marché Latendresse, ils se gorgeaient de vitamines grâce au soleil et au grand air, ils n'avaient pas accès aux casse-croûtes qui vendaient des frites grasses et des hot-dogs, et ils ne vivaient pas non plus l'anxiété causée par le tohu-bohu de la ville. Tous coulaient une existence paisible entre le travail assuré et la vie familiale exempte des déchirements de la vie urbaine, pavée d'écueils, de bruit et d'angoisse. Était-ce l'eau potable qui était empoisonnée ?

Assis dans le bureau de Bob Carson, nous philosophions, lui et moi, au sujet de la santé de ses employés et du bonheur qui en découlait. Clarandale ressemblait à la *Cité Juste* de Platon où chaque citoyen connaissait sa place. Le docteur Lemieux entra, conduit au village par le bras droit du patron, Stewart Kingsbury.

— Où sont les enfants ? demanda-t-il sans même saluer monsieur Carson.

— Je vais avec vous. Ce sont mes élèves, dis-je, le cœur chaviré.

Je conduisis le docteur Lemieux auprès de Jeanne. Sa fièvre était encore élevée et sa peau commençait à sécher, je dirais comme celle d'un crapaud. Même constat chez Petit Thomas et chez Justin. Leurs parents les entouraient et étaient affligés.

— S'il vous plaît, docteur, sauvez-les! Ils n'ont rien fait pour mériter ça.

Le bon docteur palpait leur abdomen, tâtait leur cou, écoutait les battements de leur cœur, scrutait leurs yeux, examinait leur langue, posait des questions pertinentes, mais aucune fois il ne se sentit éclairé pour poser un diagnostic précis. Il était visiblement tourmenté.

— Ça parle au diable ! glissa-t-il en fin de compte.

Je demeurai interloqué tant l'évidence me saisit. Il y avait de la Gertrude Masson dans ça ! Le diable en personne. Je me rendis auprès de Léo Lalumière, que j'imaginais nager en pleine confusion au milieu de ses bouquins traitant des esprits, de l'Au-delà et des âmes errantes qui hantent la vie des vivants de ce monde. Il n'était pas seul : une puanteur habitait sa chambre et il y faisait très froid.

Je le surpris en pleine conversation — je devrais plutôt parler de monologue — parce que cette fois, c'est Gertrude qui parlait. Quand il m'aperçut du coin de l'œil, Léo me fit signe de la main de ne pas interrompre ni de déranger sa communication exceptionnelle avec le fantôme de Gertrude. La voix de cette dernière était glissante, basse et sans accrocs, comme portée par le souffle du vent. C'était la voix d'une jeune femme et non celle d'une fillette, comme le soir où elle nous était apparue près du feu de camp.

— La dernière chose que j'ai vue dans ma tête, Léo, avant que la mine m'arrache ma vie, c'est la figure de papa qui venait à ma rencontre chercher sa boîte à lunch oubliée à la maison. Sa femme m'avait battue pour que j'aille à la mine la lui porter. Une sandwich à la baloune (elle voulait dire jambon de Bologne, sans doute) dans du pain rassis, pas de beurre, pis de la salade, deux cornichons, pis un petit gâteau Stuart. Rien d'assez bon pour y laisser la vie!

— Et après? Que s'est-il passé après, Gertrude? demanda Léo avec toute la curiosité du monde.

— Après... je ne suis pas morte tout de suite. Vous êtes sûr que vous voulez des détails?

— Je suis là pour ça, oui, pour ça. Tu auras contribué à l'avancée de mes recherches. C'est important que je puisse comprendre, c'est ça, comprendre.

— J'étais éventrée. Je saignais beaucoup. J'ai appelé papa. Il n'y avait plus personne. La boucane m'empêchait de respirer, j'étouffais. Je n'avais plus mes jambes. Le sang fuyait aussi par là. Mon dieu que nous en avons du sang, Léo! Je n'ai pas pensé à ma belle-mère ni à ma sœur Huguette.

— Tu as... tu avais une sœur?

— Huguette était ma sœur jumelle. C'est pourquoi ma belle-mère n'a pas éprouvé de chagrin à ma mort. Il lui restait l'autre. L'Autre, sa préférée, la deuxième qui a remplacé la première.

— Et ensuite?

— J'ai poussé mon dernier souffle. Je voyais le ciel et quelques nuages. J'ai vu la Vierge Marie dans sa belle robe bleue, les pieds nus, la main tendue vers la

Terre — je suis née en 1925, j'ai été élevée dans un cadre très chrétien — et j'ai su que j'étais morte. J'ai vu mon corps comme si j'étais en train de regarder une scène de théâtre. Il était englouti dans un magma de terre et de roches, et il a disparu dans le fond de la terre. Des gens criaient, des femmes accouraient en hurlant. Puis, le silence. Est apparu enfin le fameux tunnel. Là, directement devant moi. J'ai hésité. Je ne suis pas entrée. Je ne voulais pas y aller. Je ne voulais pas partir sans ma sœur Huguette. Je me suis cramponnée à la lumière. Je suis devenue une âme non désincarnée.

— Pourquoi cherches-tu à communiquer avec nous, hein, avec nous ?

— Je dois prendre le tunnel et je dois absolument trouver quelqu'un pour m'y conduire.

Se tournant vers moi, affolée, Gertrude me montra du doigt et disparut.

Léo me dit :

— C'est pas grave ! Je sais maintenant que je peux communiquer avec elle, oui, avec elle.

— Qu'a-t-elle voulu dire par «je dois trouver quelqu'un pour m'y conduire» ?

— Elle a dit qu'elle était une âme non désincarnée. Elle n'a pas quitté le monde terrestre, c'est ça, le monde terrestre. Elle est condamnée à demeurer, à rester coincée à sa dernière pensée, la dernière qu'elle a eue au moment de sa mort, oui, de sa mort.

— Quelle est-elle ?

— Partir avec sa sœur jumelle. Oui, sa sœur jumelle.

— Pourquoi ne lui as-tu pas parlé de la maladie étrange qui touche les jeunes ?

— Je ne crois pas qu'elle m'aurait répondu, oui, c'est sûr. Selon mes recherches, les âmes errantes rendent certaines personnes malades pour atteindre le tunnel. C'est complexe. Oui, complexe. Gertrude n'est pas arrivée à mourir vraiment et elle y aspire maintenant par tous les moyens. Gertrude aspire à mourir.

— Tu crois que sa sœur Huguette est encore de ce monde ?

Au lieu de me répondre, Léo se frappa le front. Une évidence lui avait échappé. Moi, j'étais certain qu'il fallait absolument que l'on exige de Gertrude qu'elle cesse de torturer les enfants. Léo ajouta :

— Tu es brillant, des fois, Jacques ! Oui, brillant. Sa sœur Huguette ! Elle aurait plus de 87 ans ! Mais il se pourrait, oui, il se pourrait qu'elle vive encore ! Ah, que je suis chanceux que tu sois mon ami. Ah oui, mon ami ! Nous avons peut-être trouvé la clé de notre rituel, le rituel que nous devons planifier pour, en fait, nous débarrasser de cet esprit maléfique. Maléfique, dis-je. Gertrude est une âme tueuse. Elle veut emmener quelqu'un avec elle dans la mort. Nous devons trouver sa sœur, oui, sa sœur.

* * * *

Le docteur Lemieux était particulièrement ébranlé. Rien de ce qu'il avait lu dans tous ses manuels de médecine, de pédiatrie ou de pharmacologie, ni de ce qu'il avait expérimenté tout au long de sa pratique, ne venait appuyer un quelconque diagnostic. Il tentait de ne pas énerver les parents, mais son propre embarras suffisait à causer un effet terrible.

Alors qu'il examinait Petit Thomas, dont la mère pleurait en silence, Josiane, la maman de Simon, entra en trombes.

— Mon fils brûle de fièvre ! Il ne sait plus ce qu'il dit. Il a vu un fantôme, il a vu les flammes de l'enfer ! Qu'est-ce qui se passe, docteur ? Les autres enfants du village n'ont rien ! Seuls les jeunes qui… qui sont dans la classe de Monsieur Jacques semblent atteints !

— Ça ressemble à une maladie contagieuse, dit le médecin, puisque les jeunes sont toujours ensemble. Je vais aller examiner votre fils.

Je retins que Simon avait parlé de fantôme. Je gardai mes impressions pour moi-même. J'avais mon idée.

Le médecin fit le tour de mes élèves malades. Il téléphona à son collègue microbiologiste au sujet de la teinte verdâtre qui venait à bout de colorer l'eau, mais pas le contraire. En effet, quand on trempait l'index dans l'eau verdâtre, il en ressortait intact.

Marie-Laure, Marcel et moi n'avions aucun symptôme. Et aucun de nous n'avait aperçu Gertrude ces derniers jours, sauf Léo et moi. Je me sentais bien et Léo pétait le feu. Quelque chose d'étrange était arrivé aux autres. Je devais mener ma propre enquête, vu l'état de notre pauvre Brigade.

Le médecin s'entretint avec l'infirmière et, la tête basse, dut rembarquer sur l'hydravion et repartir. Il me recommanda d'attendre deux jours, durant lesquels les jeunes devaient avaler des antibiotiques et de l'aspirine.

— Si, dans deux jours, ça persiste, vous m'appelez et je les fais transporter à l'hôpital. J'ai l'impression que la mine doit relâcher des émissions toxiques.

— Tout le monde serait malade, dans ce cas. Pas seulement les membres… les amis d'une même classe, bafouillai-je. Je serais malade aussi. Ainsi que mon ami Léo.

Léo était d'avis que la médecine traditionnelle ne viendrait jamais à bout de cette affection étrange qui touchait mes élèves. Quelque chose de puissant et d'inexplicable provenait d'un monde parallèle et agissait sur notre groupe. Pas un docteur en médecine, pas un professeur de littérature ne pouvaient résoudre cette étrange affaire. Mais Léo, un spécialiste en phénomènes paranormaux, pouvait arriver à nous libérer de l'emprise de Gertrude Masson.

— Il faut, il faut retrouver Huguette Masson, lança Léo avec enthousiasme.

— Aussi bien chercher une aiguille dans une botte de foin! dis-je.

— Si elle vit encore, c'est une très vieille femme, oui, une vieille femme.

— Où allons-nous la trouver?

— On va la trouver, tu peux me croire! Oui, me croire! Tu oublies qu'à mes heures, je peux être un excellent détective, mon cher!

* * * *

Le lendemain, Marcel se plaignit de maux de tête et il avait une forte fièvre à son tour. Avant que son état empire, je me rendis à son chevet. J'arrivais toujours à lui parler en termes simples, en lui fournissant des explications patientes et en ne le brusquant pas. Il fallait que je sache.

— Marcel, est-ce que tu as vu la jeune fille blanche ?

Il ferma les yeux, se tint le front puis chuchota :

— Oui, je l'ai vue. Elle était dans ma chambre. Elle m'a dit que je devais mourir pour partir avec elle.

L'âme tueuse dont m'avait parlé Léo.

— Tiens bon, je reviens te voir.

En d'autres circonstances, j'aurais moi-même demandé qu'on transporte mes élèves jusqu'à l'hôpital. Sachant ce que je savais et vu la présence de Léo, j'étais persuadé que ce n'était qu'un mauvais moment à passer. Dès que Gertrude Masson prendrait le tunnel, dès qu'elle verrait la lumière, son père et sa mère — pas sa belle-mère —, et qu'elle quitterait notre monde, Jeanne, Justin, Marcel, Simon, Petit Thomas et Marie-Laure seraient saufs.

Je venais de comprendre que je serais seul avec Léo pour organiser la cérémonie d'adieu à Gertrude Masson. Nous devions rapidement trouver Huguette Masson.

Chapitre

11

L e directeur de l'État civil était très compréhensif. Même s'il ne semblait pas croire notre histoire de petite âme qui devait quitter sans faute sa vie terrestre, Léo et moi avions toujours l'impression qu'en racontant notre impossible réalité, cela faisait l'effet escompté : l'invraisemblance était telle que nos interlocuteurs finissaient pas y croire... en nous croyant fous !

Je me rappelai mon grand-père Maurice, à qui j'avais raconté que j'avais besoin de deux sandwiches au jambon pour nourrir le Monstre de la forêt. Pour me démontrer qu'il me croyait, il avait préparé les deux sandwichs, auxquels il avait ajouté deux parts de gâteau au chocolat. J'avais ainsi pu nourrir un loup blessé. Si j'avais dit la vérité à mon grand-père, il m'aurait tiré les oreilles et enfermé dans ma chambre, puis il aurait attrapé son fusil et tenté de tuer le loup au cas où il s'attaque aux humains. Le même phénomène se produisait avec grand-mère Simone et le directeur de l'État civil à qui j'avais raconté l'étrange vérité d'un fantôme.

Ce fut assez pour que l'homme me débusque trois Huguette Masson nées en 1925, dans trois villages du Québec. Une seule d'entre elles, Huguette Masson-Gagnon, était encore en vie. Elle habitait dans une résidence pour personnes retraitées, dans une ville située au nord de Montréal. Je lui téléphonai.

Par le plus grand des hasards, c'était la bonne personne, ma première question étant : « Avez-vous eu une jumelle qui s'appelait Gertrude ? » La dame garda un long silence, puis me dit : « Elle est morte quand j'avais 10 ans. » Je ne pouvais certes pas lui dire, sans lui causer d'horribles douleurs, que Gertrude errait près d'une mine à Clarandale et que nous cherchions à nous en débarrasser. Je discutai avec Léo, ne sachant pas du tout quoi dire. Il me confirma qu'il fallait attendre. À Huguette Masson, je racontai la vérité : j'enseignais aux enfants de la mine où étaient morts sa sœur et leur père en 1935. Je lui demandai si elle avait eu des enfants.

— J'ai quitté ma belle-mère en 1943 pour me marier avec le fils d'un mineur, Joseph-Arthur Gagnon.

Nous sommes allés vivre dans la région des Deux-Montagnes et j'y ai passé ma vie à élever mes huit enfants. Mon plus vieux est aumônier à l'hôpital de la région. Il s'appelle Marc-Aurèle Gagnon.

Huguette ne parut pas embarrassée par mon intrusion dans sa vie et sembla trouver normal qu'un professeur l'appelle d'une contrée éloignée pour lui parler de sa jumelle. Je la rassurai de toute façon en lui disant que je faisais une recherche au sujet des habitants du cimetière *Les Saints-Anges* et que je la rappellerais.

Je demandai à Léo de téléphoner au prêtre, le samedi après-midi. Lui seul serait capable de lui expliquer les choses sans le terroriser. Le Père Gagnon croyait sans aucun doute aux anges, au Ciel, et à la résurrection. Il serait facile de le gagner à notre cause.

— Ma mère n'a pas trop souffert de la mort de son père, mais ô combien a-t-elle été affectée de la mort de sa jumelle, dit Marc-Aurèle. Elle pensait toujours pour deux. Elle a développé un syndrome très fort de la duplication. Tout se faisait en double. Si elle devait s'acheter des chaussures ou une robe, elle s'en procurait un double pour sa sœur. Aussi, elle nous parlait de notre tante sans arrêt comme si elle vivait avec nous. Tante Gertrude était omniprésente dans notre vie.

— Dans la nôtre aussi, oui, aussi, glissa Léo, sans trop réfléchir.

— Que voulez-vous dire ?

L'occasion était idéale pour se lancer dans les explications. Léo plongea.

— Père Gagnon, nous sommes un petit groupe de personnes qui vivons au village de Clarandale, autour de la mine, oui, de la mine, qui est dirigée par le fils de Lawrence Carson, Robert Bob Carson. Le professeur Jacques est le tuteur des enfants des travailleurs de la mine, oui, de la mine. Il y a cinq élèves et Marcel, le fils de monsieur Dupuis, le contremaître de la mine, et il y a moi, spécialiste des affaires, disons, des affaires ésotériques et autres événements provenant de l'Au-delà, c'est ça, de l'Au-delà. Nous avons eu l'occasion, oui, l'occasion de rencontrer Gertrude Masson.

— Ne venez pas me dire que vous vous occupez de fantômes et d'esprits !

— Ne vous inquiétez pas. Je... je...

— Ma mère a toujours agi comme si sa sœur Gertrude était un fantôme !

Léo devint troublé. Il me fixait et ne savait plus quoi dire. Il mit la main sur le combiné et me raconta ce qu'il venait d'entendre. Il me tendit l'appareil. Je pris la parole :

— Monsieur Gagnon, bonjour, je suis Jacques, le tuteur des plus vieux élèves de la mine Carson, à Clarandale, comme vous l'a raconté mon ami Léo. Vous venez d'affirmer que votre mère a toujours vécu comme si sa sœur était un esprit ?

— Oh, oui ! Elle avait l'impression que Gertrude était avec nous dans la même pièce et maman devait toujours lui faire approuver ses choix. Lors de mon ordination, elle me disait à quel point tante Gertrude était fière de moi !

— C'est troublant.

— Oui, en effet. Votre ami Léo vient de m'apprendre qu'il est spécialiste des fantômes. Est-ce que cela voudrait dire ?... Ah, mon dieu !

— Oui, Gertrude hante notre petite communauté. Mais elle n'apparaît qu'à mes élèves et n'interagit qu'avec eux. Ils sont cinq. Il faut ajouter Marcel, un simple d'esprit, Léo et moi. Personne d'autre ne la voit. Mais les parents commencent à vivement s'inquiéter, car il y a une multitude d'événements qui leur donnent à penser que quelque chose de grave se passe.

Nous lui racontâmes ce que nous avions vécu. Le prêtre démontrait de fréquents étonnements, mais aucune de nos révélations ne le fit douter de notre bonne foi. Nous prenions le combiné à tour de rôle et le fils de la sœur de Gertrude nous assura que nous étions dans le droit chemin. Nous rompîmes la conversation sur la promesse du Père Gagnon d'intervenir à son niveau d'expertise, si besoin était, c'est-à-dire en utilisant les moyens mis à la disposition des prêtres : la prière, l'espérance et l'exorcisme.

À ce seul mot, je ressentis des frissons incontrôlables. J'avais toujours eu peur de la possession des âmes par le diable et j'avais vu au cinéma quelques séances d'exorcisme qui m'avaient fait dresser les cheveux sur la tête. Je n'avais certes pas le goût de me plonger dans ce genre d'activités de spiritisme alors que, quelques mois auparavant, j'enseignais tout bonnement les matières faisant partie du curriculum de cinq étudiants du secondaire.

Le milieu dans lequel j'évoluais n'était pollué d'aucune façon, pas plus l'air que l'eau d'ailleurs, par les iPod ou les ordinateurs. Il y avait les forêts pour rééquilibrer notre insatiable curiosité, les lacs pour nous rapprocher — comme c'était le cas pour les Amérindiens — de notre besoin de se nourrir, les grands espaces pour nous rappeler que nous faisions partie d'un vaste univers. Je n'allais certes pas succomber à la présence du mal dans ce magnifique royaume où je grandissais du point de vue de la connaissance. Je compterais sur mon ami Léo pour nous sortir de ce piège qui allait sûrement me rendre fou s'il n'y parvenait pas.

* * * *

Le lendemain matin, à l'aube, les jeunes, qui la veille ressemblaient à des zombies, s'éveillèrent aussi en forme et roses que le jour de leur entrée en maternelle. Justin vint frapper à ma porte et en l'apercevant, souriant, frais et dispos, je le serrai dans mes bras avec tout le soulagement du monde. Léo sortit de sa chambre en maugréant, mais quand à son tour il aperçut Justin, puis que suivit Petit Thomas, il se mit à rire.

— Vous allez mieux ? Mais vous allez mieux ? Ça, c'est une bonne nouvelle, oh oui, une bonne nouvelle !

— On dirait qu'il est arrivé quelque chose d'insaisissable. Justin, Petit Thomas, savez-vous ce qui vous est arrivé ? Vous vous souvenez de quelque chose ? Hum... Elle vous est apparue, dites-nous ?

— Mes parents pleuraient à côté de mon lit, ma mère avait la tête appuyée sur son bras, quand il y a eu une grande lumière dans ma chambre, comme lorsque les phares de la voiture de mon père éclairent la maison, mais elle a duré au moins deux minutes. J'ai vite compris que mes parents n'avaient rien vu, puisqu'ils sont demeurés assis, sans réagir, expliqua Justin.

Les autres arrivèrent tout aussi estomaqués de ce qui venait de leur arriver.

— Mes parents non plus n'ont rien aperçu quand la lumière s'est manifestée, dit Jeanne. J'ai su que c'était Gertrude Masson. Une chose cependant, quand je me suis sentie débarrassée de la maladie, grand-mère Simone s'est pointée dans le cadre de la porte en me disant : « Je savais que tu allais mieux, je l'ai rêvé. » Pas besoin de vous dire comme elle m'embrassait et riait de bonheur.

Les membres de la Brigade s'enlaçaient et revenaient vers Léo et moi pour nous raconter des bribes éparses de tout ce qui s'était passé. Une chose reliait leurs histoires : aucun d'eux ne se rappelait avoir été malade. Une dizaine de parents nous rejoignirent et Robert Carson était excité comme un petit garçon qui reçoit sa première bicyclette.

— Ah, que je suis content ! Moi qui comptais louer un avion pour vous envoyer à l'hôpital de Chicoutimi et qui ai demandé à un spécialiste en minéralogie, un expert de New York, d'analyser les sédiments de la mine, au cas où des substances dangereuses auraient pu... Mais je me suis dit que si cela avait été le cas, la maladie n'aurait pas atteint que ces jeunes. Je me suis aussi dit que vous étiez peut-être allés dans des endroits avec votre professeur, mais Monsieur Jacques n'était pas malade, alors...

— Tout est terminé, Monsieur Carson, glissa Léo pour mettre un frein à toute cette aventure. Vous méritez nos hommages, oui nos hommages, pour vous préoccuper ainsi de notre belle jeunesse.

Bob Carson était très touché par les paroles de Léo, même si ce premier m'avait avoué trouver mon ami très bizarre et ne rien comprendre de la raison pour laquelle habitait chez moi cet espèce de spécialiste en phénomènes inexpliqués, cet olibrius habillé comme un personnage du Cirque du Soleil. Jamais, heureusement, ne lui était-il venu à l'idée qu'il pouvait se passer effectivement des phénomènes étranges dans son village de Clarandale. Et Léo et moi voulions que cela demeure ainsi.

* * * *

Ce soir-là, à la demande de Marcel Dupuis, nous avons fabriqué un immense feu de joie sur notre site habituel et nous y avons fait cuire des saucisses et des filets de truites, pêchées l'après-midi même par le père de Marie-Laure qui avait pris congé ce jour-là. Nous attendîmes l'apparition de Gertrude, mais elle ne se manifesta pas.

Chapitre

12

L e livre disait : « Tout se joue au moment précis de la mort. » « Voilà qui est intrigant », commentait Léo. L'auteur disait aussi : « Il y a des âmes égarées qui ne savent pas quel chemin choisir et qui errent sans endroit où aller. Alors, ces âmes refusent de traverser le *Bardo,* ce tunnel qui mène dans une autre dimension où, pourtant, elles y trouveraient la quiétude. Pour y arriver, elles hanteront des vivants afin de trouver auprès d'eux la certitude qu'une autre âme puisse les entraîner dans le fameux tunnel. Elles chercheront une autre âme qui, avant sa mort, avait les mêmes préoccupations qu'elles. Elles peuvent chercher bien au-delà des quarante-deux jours après leur décès, nécessaires pour entreprendre leur entrée dans la Lumière. »

— Et voilà, mon ami Jacques. La mort entraîne la mort, oui, la mort. Quelqu'un entraînera Gertrude si elle vient à bout de se fixer à une personne prête à la conduire, c'est ça, à la conduire. L'astral supérieur, mon ami. Voilà pourquoi nous devons mettre Gertrude et sa sœur Huguette en contact, oui, en contact. Seule sa jumelle pourra l'entraîner avec elle. Entraîner Gertrude dans l'astral supérieur là où la lumière assainira son âme, oui, son âme. Alors seulement, elle cessera de nous hanter.

J'écoutais mon ami et conclus que pour cela, il fallait qu'Huguette Masson-Gagnon meurt, ce qui était invraisemblable puisqu'au téléphone, elle m'avait semblé en bonne santé. Je me fiais quand même à Léo, mon étrange ami.

* * * *

Je reçus un appel d'une dame, Marguerite Soulières, qui, disait-elle, œuvrait auprès de Marc-Aurèle Gagnon depuis sa nomination à la charge de sa paroisse. Elle avait assez de mal à parler pour que je craigne le pire.

— Monsieur Toupin, ce matin, nous avons trouvé notre curé mort dans son lit. Le médecin qui est venu constater son décès a dit qu'il avait l'air de s'être battu contre le diable en personne !

— Oh !

— Hier, il a bien soupé. Je lui ai fait un poulet rôti comme il les aime. Avec des petits pois frais écossés avec beaucoup de patience. Il m'a dit de partir tôt, car il avait quelque chose d'important à faire et il ne voulait pas être dérangé. Je suis partie avec son lavage de la semaine. Quand je suis arrivée ce matin, j'ai trouvé une note sur son pupitre me demandant de vous appeler. Il y avait votre numéro de téléphone. Il était aussi écrit : «Il comprendra ce qui s'est passé.» Je suis tellement inquiète, Monsieur Toupin.

Et elle se mit à sangloter. Je l'imaginais très bien en train de s'essuyer les yeux avec un petit mouchoir de dentelle.

— On a trouvé son missel calciné et il... il...

J'avais hâte de savoir la suite. Je la laissai se moucher bruyamment, puis j'insistai :

— Oui, Madame Soulières ?

— Il avait les sourcils grillés.

Je faillis me mettre à rire.

— Que voulez-vous dire ?

— Comme s'il s'était trop approché de la flamme d'une chandelle. Monsieur le curé avait de gros sourcils épais et enchevêtrés qui lui donnaient un regard sévère.

Eh bien, quand on l'a trouvé ce matin... il n'avait plus un poil!

Marguerite Soulières se remit à brailler comme une trompette bouchée. Je lui offris mes condoléances et l'assurai de toute mon aide, et surtout, je la remerciai de m'avoir téléphoné. J'allais refermer le combiné lorsque je lui demandai:

— Madame Soulières, a-t-il eu des nouvelles de sa mère dernièrement?

La bonne dame bafouilla, s'énerva et me dit:

— Il faut que j'aille, là! Quelqu'un m'appelle.

Et elle referma le combiné.

* * * *

«J'ai quelque chose d'important à faire», avait dit le prêtre à Marguerite Soulières. Je me hâtai de raconter toute ma conversation à Léo, qui arrosait mes plantes en leur parlant doucement. Quand il apprit que le fils de la jumelle de Gertrude Masson avait trépassé le matin même, il respira profondément et dit:

— Je ne suis pas surpris, pas du tout surpris, Jacques. Dans son ton, j'ai compris que ce prêtre allait tenter d'entrer en communication avec sa tante, oui, sa tante, décédée en 1935. Ils sont tous pareils. Curieux comme des belettes, c'est ça, des belettes!

— Tu crois que c'est ce qu'il a fait ? Il aurait tenté d'établir le contact entre sa mère et sa sœur décédée ?

— Oui. C'est fréquent. Ce prêtre devait croire à l'exorcisme et selon moi, il a dû tenter de dompter Gertrude, oui, de la dompter. Elle aura eu raison du pauvre homme. Aïe ! Ça commence à être du grand spiritisme, oui, du grand spiritisme ! Je ne sais plus quoi faire.

Léo récapitula : Gertrude Masson, 10 ans, était morte dans l'effondrement de la mine en 1935. Elle avait refusé d'aller dans le tunnel qui mène à la lumière parce qu'elle ne voulait pas quitter sa sœur.

— Tu sais que la relation entre jumeaux est tellement intime, forte et indestructible que le cas des jumelles Masson suscite de graves questions, oui, de graves questions, ajouta Léo. Gertrude Masson est apparue à tes jeunes et à toi-même à quelques reprises.

— Très peu...

— Mais elle est apparue et elle a prononcé des phrases qui composent un message du genre : « Va porter le goûter de ton père, car si tu ne te hâtes pas, tu vas mourir. »

— Exact !

— Elle est tombée amoureuse de Justin alors même que son aspect physique, si l'on peut s'exprimer ainsi, s'est modifié, et elle s'est sentie à l'aise de séduire un garçon de 16 ans, c'est ça, de 16 ans. Tu m'as dit que ses yeux se sont précisés, sa taille s'est transformée et surtout, elle s'est mise à agir d'une drôle de manière. Elle a provoqué Marie-Laure en duel, c'est bien cela, en duel, puis voyant qu'elle n'arrivait pas à remporter la partie, elle a plongé certains de tes jeunes dans une maladie étrange et inexplicable, même pour un médecin expérimenté, oui, même pour un médecin. Le jour de mon arrivée, tu te souviendras, Gertrude est apparue devant une foule curieuse, mais seul Marcel l'a vue. Marcel est un jeune adulte atteint d'une faiblesse mentale. Cela porte donc à huit le nombre de personnes qui arrivent à voir le fantôme de la petite Gertrude. Bon.

Je continuai le récit des événements.

— Moi, j'ai parlé à Huguette, la sœur de Gertrude, et à son fils Marc-Aurèle qui a sans aucun doute tenté d'établir le contact entre sa mère et sa tante. Malheureusement, les choses ont mal tourné pour lui. D'après ce que j'en puis déduire, et selon les lectures que tu as faites au sujet des âmes errantes, dont certaines sont retenues par des vibrations négatives, il est très dangereux de tenter de les contacter, ce qu'a dû faire Marc-Aurèle. Le pauvre prêtre n'aura pas été prudent et son agonie a dû être terrible ! Je me demande ce qu'on doit faire maintenant.

— Informer les jeunes de la Brigade et les prévenir du danger qui nous attend tous. Je crois aussi que tu dois appeler la mère du défunt et lui offrir nos condoléances.

Je convoquai la Brigade, mais sans Marcel, cette fois encore.

Justin parla le premier.

— J'ai l'impression, Monsieur Jacques, que nous sommes passés en seconde place et pourtant, ce sont nous cinq qui avons décidé de former la Brigade d'Hercule Poirot. Je ne sais pas comment vous dire ça... Votre ami Léo est très gentil, mais il a pris toute la place.

— C'est un grand spécialiste des fantômes depuis qu'il a votre âge et je pense qu'il nous aidera. Je n'ai pas voulu vous reléguer au second plan. Dès maintenant, je vous laisserai discuter avec lui et je vais lui demander de vous impliquer dans toutes les sphères qui constitueront la suite des événements. Mais je veux vous protéger, Justin. La situation est plus que dangereuse.

— Pas que nous jugions que vous êtes incompétents, mais nous avons nous-mêmes subi la colère de Gertrude et nous voulons pouvoir l'aider nous-mêmes à quitter l'univers terrestre, expliqua Marie-Laure. Je pourrais avoir le goût de la faire disparaître par tous les moyens, puisque j'ai failli perdre mon amoureux. Mais je veux que les membres de la Brigade puissent faire des recherches…

— … et préparer la cérémonie pour que Gertrude passe de l'autre côté, dit Jeanne.

— Et que nous soyons assurés que tout se passe sans intervention de Léo, ajouta Petit Thomas.

— On veut qu'il nous explique quoi faire, mais qu'il nous laisse faire, conclut Simon.

Bien sûr, je connaissais ce désir de liberté des adolescents et j'acquiesçai en me disant que mes jeunes allaient bénéficier grandement de toute cette expérience en développant la solidarité et leur instinct de protection. J'allais devoir m'effacer tout en les empêchant de se faire du mal. N'est-ce pas le rôle d'un enseignant?

Je fis avec eux, Jeanne, Marie-Laure, Justin, Simon et Petit Thomas, le résumé des événements chronologiques comme nous l'avions fait, Léo et moi.

— Maintenant, que fait-on? s'enquit Justin.

— Il faut trouver les termes d'un rituel qui permettra à Gertrude de partir, opina Jeanne.

156

— Je crois qu'il faut qu'elle sache que nous n'approuvons pas ce qu'elle a fait à son neveu, ajouta Simon, les yeux agrandis par la peur.

— Tu penses que les vivants peuvent avoir une influence sur les âmes errantes ? demandai-je.

— Moi, je pense que oui, dit Justin.

— D'accord. Mais j'insiste : Léo est une sommité. Vous allez diriger le cours des choses, mais il va vous assister et j'aimerais que vous alliez le voir si vous avez des doutes. Je vous l'ai dit : vos parents ne me pardonneront jamais s'ils apprennent que je ne vous ai pas soustraits aux influences néfastes de cette Gertrude.

— Comment ça ?

— Ils ont été terrorisés par votre état physique. Imaginez à quel point la peur de perdre leur enfant sans que l'on arrive à diagnostiquer sa maladie a pu les ébranler ! Je vous somme de ne pas penser qu'à vous !

Au même instant, comme cela s'était produit lors de la dernière rencontre de la Brigade, une lumière extrêmement brillante nous força à nous cacher les yeux, puis nous perçûmes encore cette puanteur, ce froid sibérien pourtant en plein été indien, cette peur inqualifiable qui nous saisissait tous. Je me disais que les jeunes admettraient assurément avoir besoin de Léo et de ses éclairages, et aussi de l'encadrement de leur professeur. Alors je ne dis rien.

Une chose me rassura : Léo m'avait dit qu'un esprit malsain comme Gertrude Masson ne pouvait attenter à notre vie, car elle avait besoin de nous. Ce qui était advenu au pauvre Père Gagnon pouvait s'expliquer par une crise cardiaque qui avait pu se déclencher sous l'influence de la peur. Ce prêtre avait passé son existence entre ciel et terre, bousculé par la décroissance de la foi chrétienne, à laquelle pourtant il avait consacré sa vie, torturé par le doute, mené par la phrase de la Bible : « Soyez semblables à des petits enfants. »

Une nuit, dans la pénombre de sa chambre, seul dans le presbytère, il a reçu la visite de sa tante fantôme voulant détruire les années qui la séparaient de sa petite jumelle de dix ans. C'est ce que j'en tirais de ma compréhension du fil des événements passés. Léo pensait comme moi. J'allais laisser les membres de la Brigade avoir l'impression de mener jusqu'au bout l'enquête tout en étant, en quelque sorte, leur ange gardien.

Gertrude Masson était présente parmi nous. Elle s'approcha de Justin, qui ne résista pas. Elle se tenait droite devant lui, ses longs cheveux à l'allure de fibres d'acier. Son dos semblait voûté et son visage, à ce qu'il nous sembla, avait vieilli considérablement. Gertrude n'avait plus dix ni quinze ans. Elle était devenue une femme de l'âge des parents de mes élèves. Aussi ne se rua-t-elle pas sur Justin pour l'envelopper de sensualité comme elle nous y avait habitués depuis quelque temps. Cette fois, on aurait dit de la tendresse sans aucune autre intention que de prodiguer du bien-être. Justin n'éprouvait plus la peur. Les autres et moi-même étions sereins en fixant Gertrude avec attention.

Elle se rendit ensuite au-dessus de Petit Thomas, que nous apercevions comblé de paix et de sérénité. Son visage était calme et son petit tic nerveux qui le faisait cligner les paupières toutes les cinq secondes avait disparu. Je sentis que la crainte avait laissé sa place à une lumière réconfortante. Je pensai : « Ne me dites pas que Gertrude a rejoint le tunnel... » Je me demandai également où était passé ce maudit Léo, qui allait manquer une aussi belle expérience.

Gertrude alla de Petit Thomas à Jeanne, puis de Jeanne à Marie-Laure en leur prodiguant d'étonnants sentiments de calme et de lumière mystique. Allait-elle venir vers moi ? Elle se rendit entourer Simon de toute sa tendresse. J'attendis. Je me préparai à la recevoir en espérant ressentir un grand bienfait, mais Léo ouvrit la porte de la salle communautaire et Gertrude disparut illico, emportant avec elle tendresse, bienfaisance, lumière et tout. Je demeurai interloqué pendant que les jeunes revenaient graduellement de leurs émotions.

— Merde, Léo! À quoi as-tu pensé? lui criai-je.

Les enfants se mirent alors à rire et à lui expliquer ce qui venait de se passer. Après les avoir écoutés, Léo parut inquiet.

— Je crois qu'elle vous a bien eus, oh oui! Les âmes tueuses cherchent à amadouer leurs victimes, et plus précisément celles qui accepteront de les conduire devant l'entrée du tunnel, c'est bien ça, du tunnel.

— Elle est devenue une femme d'âge mûr, ajouta Justin. Est-ce aussi un mauvais présage?

— Elle nous indique qu'elle cherche un être vivant plus âgé, puisqu'elle n'a pu convaincre aucun d'entre vous à... mourir, si je puis m'exprimer ainsi.

— Vous... vous voulez dire qu'elle voulait convaincre l'un d'entre nous de se suicider? dit Marie-Laure.

— Exactement. Les âmes tueuses cherchent à pousser une personne à se suicider pour qu'elle puisse partir avec elle. N'est-ce pas quelque chose d'absolument merveilleux? s'agita Léo.

J'imagine que pour un parapsychologue, pareil événement venait sanctionner les recherches, les lectures et les questionnements de toute une vie. Mon ami était au comble du bonheur, car il pouvait prouver que certaines thèses étaient réelles. J'étais content pour lui.

Ce qui m'étonna, c'est que mes jeunes ne furent pas agacés par la présence de Léo alors qu'ils venaient de me signifier qu'ils voulaient tout faire tout seuls, sans l'intervention de mon ami. Au contraire, Justin lui posa une panoplie de questions sur l'attitude à adopter selon deux ou trois scénarios qu'il avait ébauchés.

— Si elle a tenté de nous amadouer, est-ce qu'il faut craindre qu'elle reviendra en force pour nous écraser ? Est-ce que le fait que le prêtre soit mort lui fait plaisir ou au contraire, est-elle attristée ? Va-t-elle tenter d'aller trouver sa sœur maintenant que nous avons ouvert une brèche ?

— Moi, Monsieur Léo, j'aimerais savoir si nous risquons pire encore que ce que nous avons connu ? fit Simon.

— Et moi, je me demande si elle va s'en prendre à Marcel, qui n'a pas notre compréhension des choses, dit Jeanne. J'ai peur qu'elle ne l'entraîne avec elle. Grand-mère Simone m'a raconté que Marcel dit des drôles de choses, ces jours-ci. Il lui a demandé s'il allait se coucher dans son lit dans la terre au cimetière. Il lui a donné sa collection de billes de verre qu'il garde depuis qu'il est tout petit. Ma grand-mère a demandé à monsieur Dupuis s'il comptait emmener son fils chez sa mère à Saint-Hyppolite, dans les Laurentides. On dirait qu'elle se doute de quelque chose.

— Euh... dis-je à l'attention de Jeanne. Nous avons dit à ta grand-maman qu'il y avait un fantôme à Clarandale. Elle a tout de suite fait semblant d'y croire. Et nous avons été épargnés par ses questions et sa curiosité. On avait dit que les parents ne devaient pas être informés. Tu dois avouer, Jeanne, que ta grand-mère est un peu curieuse.

— Et même fouineuse, ajouta Justin en riant.

— Si vous pensez qu'elle a fait semblant de vous croire, Monsieur Jacques, sans vouloir être impolie, je crois que vous vous êtes mis le doigt dans l'œil, dit Jeanne. Ma grand-mère ne fait jamais semblant de croire en quelque chose : elle cherche et... elle trouve. Et l'attitude de Marcel a plus d'influence sur elle qu'on peut le croire.

— Tu penses?

— Absolument.

C'est à cet instant que je me dis que l'histoire de Gertrude Masson allait être le thème de tout mon enseignement. J'allais demander à mes étudiants de trouver, dans la littérature qui était à leur disposition, les passages recréant des mondes parallèles, des histoires de l'Au-delà, des épisodes de vie après la mort, le tunnel et toutes ces choses. Partir de leurs intérêts pour leur proposer de nouvelles connaissances, leur apprendre à distinguer le vrai du faux, pour ainsi aiguiser leur sens critique.

En mathématiques, j'allais leur demander d'établir des statistiques, au programme du ministère de l'Éducation; en histoire, j'allais leur faire étudier l'époque des Sorcières de Salem et y adjoindre des textes à lire sur le sujet. En création littéraire, j'allais leur demander d'écrire une nouvelle concernant une expérience astrale; en musique, ils allaient composer une mélodie complexe qui pourrait s'insérer dans notre concert de fin d'année, musique inspirée par leur expérience mystique.

J'allais ajouter à cela quelques ateliers pratiques et mon année scolaire de quatrième secondaire serait complète. Aussi, j'allais m'assurer que Petit Thomas pourrait, à son rythme et à son niveau, participer à mon programme d'enseignement. Un été comme celui que Petit Thomas avait vécu l'avait fait vieillir de deux ans au moins. Il était bien suivi par sa mère; son écriture et surtout sa lecture de textes poétiques relevaient d'une maturité exceptionnelle malgré ses 13 ans et demi!

Je devais tout de même composer avec les apparitions inquiétantes d'un fantôme qui cherchait par tous les moyens à rejoindre l'Au-delà. Et je ne manquais jamais de songer à un autre contrat d'enseignement si jamais quelqu'un nous débusquait !

* * * *

Dans la soirée, je pensai à ma Sophie, celle qui m'avait quitté pour ne pas avoir à faire face à ses contradictions. Que ferais-je si j'étais resté auprès de mon amour ? Que serait mon existence si Gertrude ne nous était jamais apparue ? Sûr que la Brigade ne serait jamais née et je crois sincèrement que notre présence à la mine Carson n'aurait jamais été aussi exaltante ! Je n'aurais probablement jamais revu mon grand ami Léo qui, au fur et à mesure que les choses avançaient, me devenait indispensable.

— Tu sais, Jacques, les enfants courent un certain danger, même si jamais un fantôme n'a vraiment tué personne. Jamais personne. Le curé Gagnon est mort de frayeur, sans doute. Son cœur n'a pas tenu. Il n'a pas tenu. Mais nos jeunes sont forts et convaincus qu'ils vivent une aventure exceptionnelle, sous la tutelle, dois-je te le répéter, d'un enseignant hors du commun.

— Que sont ces flatteries, Léo ?

— Je... je ne sais pas trop comment te dire ça, mais Gertrude a besoin qu'une personne décède pour joindre la lumière, oui, la lumière. Mais ce ne peut pas être, par exemple, son neveu, le prêtre.

— Ah, non ? Ce serait pourtant logique.

— Une âme errante ne peut pas demander à une personne récemment décédée de l'entraîner dans l'Au-delà, tu comprends ? Elle ira vers un vivant, oui, un vivant, avec qui elle vit un contact suprasensible. Je peux me tromper, soit dit en passant.

— Ce qui veut dire ?

— Elle cherchera quelqu'un d'autre. Elle a tenté de le faire avec les jeunes qu'elle a rendus très malades, et comme ça n'a pas fonctionné, puisque la médecine a fait de grands progrès depuis 1935, elle a renoncé. Elle a aimé Justin jusqu'à lui demander de mourir pour elle, c'est ça, pour elle. Mais tu l'as vue ? Gertrude, étonnamment, a vieilli. C'est une femme mature. Elle n'a plus de cible dorénavant. Ni toi ni moi. Nous ne sommes pas de bons sujets. Selon moi, mine de rien, Gertrude cherchera un vivant parmi le reste des villageois de Clarandale, oui, de Clarandale.

— Qui ?

— Je l'ignore complètement. Mon flair me dit que ce pourrait être une vieille personne, oui, vieille. Pas l'un d'entre nous.

— Pourquoi pas sa sœur ? Huguette a 89 ans !
Son fils est mort, ses autres enfants vivent loin de chez
elle et n'ont pas de temps pour s'occuper de leur vieille
mère. Elle l'a dit elle-même : elle a terminé sa vie.

— Nous devons absolument créer le rituel du
grand voyage le plus tôt possible, oui, le plus tôt possible. J'aurai besoin des jeunes de la Brigade.

Comme je vous l'ai raconté précédemment, Léo
s'intéressait à tous les sujets, mais aussi était-il un véritable fouilleur de cervelles. Une sorte de psychologue
qui venait à bout des maladies en « ose » qui touchaient
le monde moderne : névrose, psychose et même ecchy-
moses de l'âme.

— Il m'appert essentiel de rabibocher nos deux
amoureux dès que possible, dit Léo. L'amour, un amour
fort, doit nous assurer un blindage contre les forces
occultes. L'amour peut tout vaincre, tout vaincre.

— Je crois qu'ils sont en train de rétablir le
contact, et je ne crois pas qu'il soit de notre ressort de
nous en mêler.

— Tu as sûrement raison, conclut Léo.

※ ※ ※ ※

Quand je sortis ce soir-là pour prendre un bol d'air
frais, je passai devant la salle communautaire. Deux

personnes étaient assises sous l'érable qui semblait de feu tant l'automne avait saisi Clarandale. Je n'ai pas l'habitude d'espionner les gens et j'ai plutôt tendance à fuir les situations embarrassantes, mais quand je reconnus Justin et Marie-Laure en train de s'embrasser fougueusement, il fallait que je sache où en étaient leurs amours. Ils échangeaient de vrais baisers d'amoureux. Justin passait ses doigts dans les cheveux de sa blonde et je pouvais l'entendre couiner de bonheur. Ils se parlaient avec une infinie tendresse ; elle pleurait et Justin s'excusait de tout ce qui avait pu arriver. Je ne voulais pas pousser plus loin mon indiscrétion, alors je fis demi-tour. Une branche craqua et je vis arriver Justin en flèche sur moi.

— Monsieur Jacques ! Qu'est-ce que vous faites ici ? C'est trop fort ! Je ne peux même pas venir embrasser ma blonde comme je veux. Voilà que vous nous espionnez ! Il nous espionne, répéta-t-il à Marie-Laure, qui était venue nous retrouver, intriguée.

J'aurais pu donner des explications, car je savais que j'avais été audacieux d'entrer ainsi dans leur intimité. Je souris et je les pris tous les deux dans mes bras.

— Comme je suis content de vous voir ensemble ! Ça ne pouvait être autrement ! Tout le monde sera heureux que vous soyez à nouveau un couple !

Au moment où je prononçais ces derniers mots, un vent de forte intensité nous fit nous retenir à la colonne de la salle communautaire. L'odeur nauséabonde qui accompagnait, comme d'habitude, les apparitions de Gertrude Masson, nous envahit. Pour la première fois, elle s'en prenait à moi.

Je n'arrivais plus à respirer tant le vent s'introduisait dans mes narines. Mes cheveux tournoyaient et mes yeux se mirent à larmoyer. Les jeunes retournèrent sous le préau et je fus laissé seul devant la colère de Gertrude Masson. Une boule de feu s'abattit devant moi et très vite, je fus entouré d'un brasier de deux mètres de hauteur. Pour la première fois, j'entendis des bruits insoutenables se mêlant à des gémissements qui n'avaient rien d'humain. Les herbes sèches s'embrasèrent en quelques secondes. Je ressentis une immense chaleur et je voyais très bien l'herbe brûler.

Avant de m'évanouir, j'entendis la voix de Justin qui criait : *Waitha Bodlisha !* Les mots de Marcel ! Justin avait ordonné à Gertrude de me laisser tranquille. Je constatai après coup qu'il avait une grande autorité sur notre fantôme. Comme son aspect physique, tel qu'il nous apparaissait, avait vieilli jusqu'à ce qu'on y reconnaisse une femme dans la cinquantaine, peut-être davantage, elle cherchait à porter ses amours sur quelqu'un d'autre. Quand je repris mes esprits, drôle de coïncidence, Marie-Laure avait appliqué un chiffon humide sur mon visage et Léo était posté au-dessus de moi.

— Mon pauvre ami, dit-il. Nous sommes dans de mauvais draps, oui, de mauvais draps !

En effet, il avait, lui aussi, subi l'ire de Gertrude. Il avait le visage noir de suie, ses quelques cheveux avaient été brûlés, ses vêtements, déchirés à plusieurs endroits.

Les jeunes de la Brigade arrivèrent, informés par Justin.

Léo les fixa, l'un après l'autre, leva les bras au ciel, puis nous annonça la pire des nouvelles :

— Elle n'aurait pas pu faire tout ce grabuge toute seule. Pas toute seule. Ils sont plusieurs ! Il faut réagir vite, vite, dit-il.

— Ça commence à représenter un gros danger pour nous, dit Simon.

— Il arrive que les âmes tueuses ou non désincarnées se rallient en groupe pour plus de puissance, c'est ça, plus de puissance, nous informa mon ami. Léo se releva et, balayant le groupe, épousseta ses manches avec application, leva l'index et ajouta :

— Il faut agir vite. Très vite ! Je me replonge dans mes livres et je vous réunis pour la cérémonie de la mort. Il me manque encore quelques informations. Attendez mes instructions.

* * * *

Pour passer le temps, mes jeunes se plongèrent dans leurs livres pour tenter d'apporter leur aide à Léo ou d'oublier quelque peu. Justin et Marie-Laure se penchèrent sur *Hamlet*.

William Shakespeare avait traité du retour vers l'Au-delà à des années-lumière de ces séries télévisées se déroulant dans l'univers des vampires ou des loups-garous. Dans bien des œuvres, les âmes qui reviennent parmi les vivants le font avec de très mauvaises intentions. L'œuvre de Shakespeare n'était pas différente. Gertrude Masson avait tendance à épouser parfois de bonnes, mais souvent de mauvaises intentions.

Simon décida d'étudier la mort annoncée de Ebenezer Scrooge, moult fois reprise au cinéma. Charles Dickens le présentait comme un homme avare, un veuf cynique qui rencontrait trois fantômes du passé, du présent et de l'avenir ; ceux-ci allaient l'entraîner à revoir les événements importants de sa vie afin de lui démontrer qu'il avait manqué de générosité envers ses semblables. Le futur l'entraîna devant sa propre tombe.

Transformé, vous dites? Ebenezer Scrooge se métamorphosa totalement à la suite de cette révélation et devint aussitôt un être généreux. Simon était certain que cette façon de traiter les vivants pouvait s'appliquer à Gertrude Masson. Il échafauda un plan pour Léo.

Jeanne s'attaqua aux *Misérables* de Victor Hugo. Le héros, Jean Valjean, fut poursuivi par un policier qui cherchait à le mettre en prison parce qu'il avait jadis volé un quignon de pain pour nourrir une enfant affamée. Jeanne écrivit en exergue cette phrase tirée de la mort de la petite fille: «La face de Fantine en cet instant semblait étrangement éclairée.»

Ô combien cette lumière semblait importante pour mon élève. Elle ajouta cette citation lorsque Valjean mourut à son tour: «D'instant en instant, Jean Valjean déclinait. La lumière du monde inconnu était déjà visible dans sa prunelle.» Encore cette lumière, ajouta Jeanne.

Quant à Petit Thomas, il eut une très bonne idée: il présenta l'œuvre majeure de George Lucas que tous connaissaient: *La Guerre des étoiles.*

— Il y a tant d'exemples de la Vie après la Mort dans ce film! Lucas oppose les Sith et les Jedis. Pour les premiers, la vie éternelle existe tandis que pour les Jedis, la mort naturelle est la seule qui existe, mais les vivants arrivent à communiquer avec les Jedis décédés. C'est fabuleux. Gertrude Masson doit être une Jedi, c'est certain !

Je fis de mon côté, bénéficiant du temps dépensé par mon ami Léo, que je ne voyais plus souvent, quelques lectures de textes d'Edgar Allan Poe, de Katherine Ann Porter, de Stevenson, et de bien d'autres qui avaient compris que les histoires d'âmes errantes, de fantômes et de maisons hantées passionnaient les lecteurs et, je crois, leur offraient un espoir que la vie ne s'arrêtait pas avec la mort. Je tombai sur le missel de ma grand-mère, qui assistait à la messe dominicale sans jamais en manquer une seule. Je tombai sur ce texte écrit par l'évangéliste Matthieu :

Ce sera l'heure où ceux qui gisent dans la tombe
en sortiront à l'appel de la voix du Fils de l'Homme ;
ceux qui auront fait le bien ressusciteront pour la vie,
ceux qui auront fait le mal pour la damnation.
Alors le Christ viendra dans sa gloire, escorté
de tous les anges (...).
Devant lui seront rassemblées toutes les nations,
et il séparera les gens les uns des autres,
tout comme le berger sépare les brebis des boucs.
Il placera les brebis à sa droite, et les boucs
à sa gauche (...).

172

Et ils s'en iront, ceux-ci à une peine éternelle,
et les justes à la vie éternelle.

Gertrude Masson avait-elle commis le mal pour se retrouver en enfer, ou avait-elle eu une belle vie de petite fille de 10 ans ? Pourquoi avait-elle changé d'aspect passant de 10 à 60 ans durant sa courte vie de fantôme ? J'allais poser ces questions à mes élèves et en discuter avec eux lors de mon cours de philosophie.

* * * *

Vers 15 heures, nous vîmes arriver la mère de Jeanne, tout en larmes. Grand-maman Simone était tombée de l'échelle en tentant de sauver le chat Kitkat, qui était retenu prisonnier dans un arbre. Marcel l'avait trouvée allongée par terre, le fémur tordu, le visage crispé par la douleur. Elle n'avait plus sa connaissance.

Étrangement, deux des barreaux de l'échelle avaient été sectionnés par une main malfaisante. La jambe de la bonne dame avait dû craquer sous l'impact de la chute. Jeanne pleurait dans les bras de sa mère ou se penchait sur la civière qui devait conduire la blessée jusqu'à l'hydravion de secours.

— Mais que s'est-il passé ? demanda Marie-Laure à Marcel, qui sanglotait comme un veau.

— Kitkat a brûlé ses yeux dans la lumière et il a griffé grand-maman Simone ! expliqua-t-il à sa manière. Elle a perdu son pied et elle est tombée sur sa jambe. Ça a fait crac !

— Où est allé Kitkat ? demanda Jeanne.

Marcel courait dans tous les sens en appelant le chat. Il se rendit derrière la maison, puis revint avec, entre ses bras, braillant, reniflant, un petit paquet de poils noirs qui avaient été la fourrure de l'animal. J'examinai Kitkat rapidement et je compris qu'il avait été électrocuté ou encore, exécuté par Gertrude Masson. Plus rien ne me surprendrait dorénavant.

L'appareil se posa sur le petit lac Jérôme comme un papillon sur une fleur. Nous étions une douzaine de personnes à assister à la remontée de grand-mère Simone, qui ne reprenait pas conscience. Sa fille Louise s'installa à ses côtés tandis que la petite Catou, tenant la main de son père, pleurait en réclamant sa mère. Un événement que je ne suis pas prêt à oublier.

Il y avait de la Gertrude Masson dans cette affaire. L'hydravion tenta de s'élever, mais une secousse le fit tanguer dans toutes les directions. Le pilote, la tête hors de son cockpit, criait son inquiétude aux hommes qui fixaient l'appareil. Une trombe d'éclairs s'abattit sur le lac et une tornade saisit l'hydravion et son chargement, s'éleva vers une masse nuageuse chargée de courants électriques et, avant même que nous réagissions, disparut au centre du cyclone. On se serait crus dans le film *Le magicien d'Oz,* au cœur d'une immonde tragédie.

Les enfants et mes jeunes pleuraient, et Jeanne était soutenue par ses amis. Pierre-Paul Letendre et la petite Catou ne pouvaient trouver leur calme, entourés des autres observateurs. On ne voyait plus l'hydravion, et le ciel redevint aussi tranquille qu'avant l'accident. À mon grand étonnement, personne ne parla de magie, de spiritisme, d'événement paranormal : tous avaient cru à une manifestation météorologique, excepté mes jeunes qui semblaient sûrs que Gertrude y était pour quelque chose. Pierre-Paul Letendre se remit à parler comme si rien ne s'était produit d'étrange. Je ne savais plus comment agir. Je repris le volant de la Land Rover et je me rendis auprès de Léo qui, je l'espérais, aurait une idée au sujet de cet événement.

Quand j'arrivai chez lui, Léo vint à ma rencontre comme s'il m'attendait avec urgence. Il tenait une liasse de feuilles et, les secouant dans ma direction, il cria :

— Je suis prêt ! Ça y est. Tout est là !

— Si tu savais ce qui s'est passé, Léo !

Et je me mis à lui raconter ce qui venait de se produire sur le bord du lac Jérôme !

— L'appareil a disparu avec les passagers à bord ?

— Oui. Les nuages se sont entrouverts, et l'hydravion a été siphonné l'instant de le dire. Avalé. Englouti.

— Calme-toi. Il faut que tu te calmes. Toi et moi, on sait que ce ne sont que des manifestations paranormales, oh! oui, paranormales. Il y a une explication à cette disparition! Tu le sais, Jacques!

— Non, je ne sais rien du tout. Un hydravion a disparu avec trois personnes à bord! Depuis que tu es arrivé, on ne contrôle plus Gertrude Masson! Elle est devenue... une âme hystérique! Je ne peux plus le supporter. Je suis totalement bouleversé, Léo Lalumière! Je perdrai mon emploi et on me soupçonnera de sorcellerie, on m'accusera d'avoir fait du mal à ces enfants et à leurs parents! Ma vie est finie, Léo!

J'étais en proie à la panique. Tant que Gertrude se contentait de communiquer avec nous, que les enfants vivaient d'étranges manifestations et que tout se replaçait ensuite, je ne voyais là rien de mal. Tant qu'ils arrivaient à former un groupe solide et que toutes ces aventures les rassemblaient et leur permettaient de devenir inventifs et de vivre dans ce monde imaginaire que leur enseignait la littérature, je marchais avec eux. Je les accompagnais, je les protégeais.

Gertrude était allée trop loin! Elle cherchait à réintégrer le monde des morts en empruntant ce maudit tunnel de lumière et en profitait pour assombrir la vie de mes élèves. Je m'étais fié à Léo, écoutant ses théories d'illuminé, et je me retrouvais dans le pire des chaos intérieurs. Que pouvais-je faire désormais ?

Léo se taisait. Il comprenait mon désarroi et ne cherchait pas à s'expliquer. Lui, il avait parlé à Gertrude et il avait également discuté avec Huguette. Selon moi, elles devaient être réunies une fois pour toutes, malgré ce que mon ami en pensait. Je savais ce qu'il pensait. Il croyait dur comme fer que Gertrude avait tenté de venir chercher grand-mère Simone, qui était la plus vieille personne de Clarandale. Elle l'avait sans doute projetée en bas de l'échelle pour la faire mourir et elle avait raté son coup.

Mon ami alla s'asseoir sur le banc parmi les tas de feuilles mortes. Son enthousiasme du début, alors qu'il croyait avoir trouvé la solution miracle, s'était dégonflé. Je finis par retrouver mon calme. Cet homme me faisait pitié. C'est moi qui l'avais fait venir à Clarandale et, jusqu'ici, aucun parent ne soupçonnait quoi que ce soit. Même Marcel, dans toute sa candeur, n'avait pas réussi à éveiller le moindre soupçon chez les adultes. Et les jeunes n'avaient rien dit.

Je pensai à Jeanne. Peut-être avait-elle commis des indiscrétions après mon départ précipité du lac ? Je tremblais littéralement comme une feuille. Je voulais disparaître. Je fis même une demande à Gertrude afin qu'elle fasse en sorte que j'aille moi-même la conduire à l'entrée du Styx pour traverser les portes surveillées par le Cerbère. J'étais prêt à n'importe quoi.

Le téléphone sonna. C'était Jeanne, justement.

— Monsieur Jacques! Maman vient de téléphoner à papa. Grand-mère et elle sont rendues à l'hôpital.

— Mon dieu! Léo, elles sont rendues à l'hôpital! dis-je à mon ami.

— Bon, tu vois qu'il ne faut jamais désespérer, ne jamais désespérer. Demande-lui comment va grand-maman Simone.

À ma question, Jeanne ne put répondre avec exactitude. Simone n'avait pas repris conscience. Le médecin de l'urgence avait affirmé qu'elle avait subi une commotion cérébrale sévère. Il ne pouvait jurer qu'elle serait comme avant, ni quand elle retrouverait sa conscience.

— On a immobilisé sa jambe, mais ils sont inquiets qu'elle ne se réveille pas. Nous aurons des nouvelles à chaque heure.

Alors que j'allais refermer le combiné, Jeanne dit encore:

— Monsieur Jacques! Vous n'y êtes pour rien. Je sais que vous vous culpabilisez. Nous avons confiance que Léo va faire quelque chose, chuchota-t-elle comme si elle voulait garder ce segment de notre conversation dans le plus grand secret. On a eu tort de vouloir l'écarter de toute cette aventure. Dites-le-lui.

* * * *

Jeanne fut très affectée par l'accident de Simone. Sa grand-maman représentait plus qu'une simple parente. Simone Lanctôt vivait avec la famille depuis la naissance de Catou, ayant été appelée au secours de sa fille Louise qui venait d'ouvrir la garderie *Les petits mineurs* à l'ancienne mine Smothers. Jeanne avait développé avec Simone une relation exceptionnelle.

La grand-mère était compréhensive, dispensait de la tendresse à ses petites-filles, les couvrait de petites attentions, les écoutait et prenait leur défense sans nuire à l'autorité de sa fille. Simone était assez en forme pour emmener Catou et Jeanne en excursion ou en pique-nique, elle leur cuisinait leurs repas préférés et leur racontait de longues histoires tirées de sa jeunesse. Une grand-mère parfaite qui avait ouvert son cœur aux amis de Jeanne. Un peu plus et la Brigade aurait accepté de la compter parmi ses membres!

Grand-maman Simone avait un seul défaut: elle ne croyait aucunement au paranormal, aux fantômes ou aux phénomènes extrasensoriels. «Des vues de l'esprit chez ceux qui n'ont rien d'autre à faire !» se plaisait-elle à dire. Pourtant, quand je lui avais parlé du fantôme de Gertrude, elle avait semblé me croire et n'avait opposé aucune résistance morale.

Chapitre

13

L e 15 novembre, par un froid humide d'automne, il était prêt. Léo avait tout mis en place. Il jurait que ce rituel allait régler pour de bon les tourments qui empêchaient Gertrude Masson de recouvrer la paix. Et quant à moi, cela me permettrait de ficher la paix à la Brigade.

Mes jeunes commençaient à éprouver de la difficulté à vivre sainement avec ces événements qui dérangeaient leur quiétude. Une fois une manifestation paranormale commencée, ils n'avaient pas peur, mais sans doute étaient-ils tourmentés de ne pas savoir à quel moment précis elle allait survenir et quelle serait son intensité. Et surtout, ils devaient se demander comment expliquer ces choses à leurs parents alors qu'ils étaient les seuls à les voir. Les adultes sautent si vite aux conclusions et croient immédiatement à la folie de l'adolescence. Sauf que Léo et moi étions des adultes et nous pouvions voir Gertrude Masson.

Quand un parent demandait à Léo ce qu'il était venu faire dans ce bled perdu, il n'était alors pas question de sa thèse de doctorat ni de quoi que ce soit de très sérieux. Il leur disait qu'il préparait une étude scientifique sur la capacité pour les grenouilles de prédire la météo, juste pour les faire rire. Personne ne le trouvait loufoque. Bien des êtres humains disent qu'ils peuvent prévoir le temps en se fiant à leurs douleurs rhumatismales, non ?

* * * *

Léo avait en effet tout préparé avec la plus grande minutie, sachant qu'il s'agissait là de l'unique occasion de faire la preuve de son génie. J'espérais que mon ami n'y laisse pas sa peau : j'avais lu dans le *Livre des Esprits* que certains médiums qui n'avaient pas maîtrisé exactement leur condition étaient morts en tentant d'entrer en contact avec des âmes non désincarnées s'amusant à torturer les vivants.

Léo avait convoqué la Brigade dans la grotte où avait eu lieu la bataille entre Marie-Laure et Gertrude au sujet de Justin. Il me demanda d'emmener Marcel, puisqu'il n'était pas considéré tout à fait comme un adulte. Il exigea que nous y venions sans objets personnels : pas de portefeuille, pas de caméra, pas de bijou, rien. Nous allions devoir également retirer nos chaussures avant d'entrer dans la grotte.

Nous serions huit. Ce chiffre était inscrit dans le grand livre sacré. Huit : ligne continue. Huit : éternité. La vie suivie de la mort, puis le retour à la vie. J'avais lu également que le chiffre huit était la lumière qui se reflète. En étant huit, Jeanne, Marie-Laure, Justin, Simon, Petit Thomas, Marcel, Léo et moi, nous étions assurés que la lumière était avec nous et que nous ne risquions pas d'être victimes de l'ire de Gertrude Masson.

Comment Léo avait-il prévu que Gertrude viendrait à sa rencontre à l'heure indiquée ? Il était un véritable sorcier, sans nul doute. Personne ne doutait de ses dons de clairvoyance.

Nous défilions, Marcel, mes élèves et moi, sur le chemin d'aiguilles de conifères de la forêt boréale menant à la caverne. En y pénétrant, nous fûmes accueillis par des douzaines de cierges que Léo avait allumés. Il y avait aussi deux pierres qui servaient de socles à une table de marbre d'environ trois mètres et des vases contenant une matière huileuse qui exhalait une odeur soufrée et sur la surface de laquelle brûlait, pâle et d'un bleu à peine perceptible, une flamme basse.

Je crus un moment qu'elle n'était qu'une vue de l'esprit. Les odeurs n'étaient pas des plus inspirantes. Léo m'avait dit que le silence était de rigueur pour la réussite de son rituel. J'en avais informé les jeunes. Nous avions l'air d'une assemblée de gens pieux tant l'atmosphère était à la prière. L'endroit était plus silencieux qu'une bibliothèque.

Marcel avait peur et il se collait à Jeanne comme un enfant à sa mère. L'accident de grand-mère Simone l'avait rendu très inquiet et seule Jeanne arrivait à l'empêcher de parler. Nerveusement, il nommait toutes les choses qu'il apercevait, ce à quoi Jeanne répondait par l'affirmative, tout en lui pressant la main pour qu'il se taise.

— Des chandelles.

— Oui, Marcel.

— Une table.

— Oui, chut !

Au bout de quelques minutes, Léo entra et emprunta la petite route qu'il avait lui-même créée au centre de la grotte. Il avait revêtu une chasuble dorée et une coiffe d'organza tissée de fils de soie rouge. Il avait la figure d'un homme angoissé avec ses traits creusés, sa bouche tordue et ses cheveux retenus à l'arrière en une toque serrée. Il ressemblait à un sorcier africain. Un ami que je ne reconnaissais pas et cela m'angoissa terriblement.

Léo s'approcha de la table, leva les yeux au plafond de la caverne, qui s'était animé sous les flammes vacillantes des chandelles. Il se mit à lire d'étranges incantations, d'abord à voix basse, puis de plus en plus fort. Il émettait des sons ignorés, des sons gutturaux qui les rendaient plus terrifiants encore. La voix de Léo, qui d'habitude était crécelle, devenait à ce moment précis celle d'un comédien shakespearien, projetant les sons contre la paroi rocheuse. Étonnant.

Mais comme j'avais consulté de nombreux bouquins au sujet des phénomènes paranormaux et de la présence fréquente des esprits dans l'existence des vivants, j'avais imaginé sans peine l'état psychique des médiums entrant en relation avec eux et je ne fus qu'à demi surpris. Léo, en transe, semblait au comble du bonheur et en toute possession de ses moyens. J'étais impressionné.

Je regardais mes élèves les uns après les autres. Tête à l'avant, Simon mordillait le bord de sa manche, tandis que Justin et Marie-Laure s'étreignaient comme s'ils se voyaient pour la dernière fois. Jeanne maintenait Marcel pour qu'il garde son calme et Petit Thomas était agenouillé comme s'il assistait à une messe.

Je n'avais qu'un regret : ne pas avoir eu le droit de prendre des photos. Des preuves au cas où ça tournerait mal et que je serais victime de fausses accusations.

Léo parlait de plus en plus vite et de plus en plus fort. Rien ne se passait. Gertrude ne venait pas. Je me dis que le rituel de Léo n'allait pas fonctionner.

— Quoi qu'il arrive, ne bougez pas de votre siège, criait Léo à notre endroit.

Soudain, pendant que Léo palabrait dans une langue que je ne comprenais pas, une immense boule de feu apparut au-dessus de l'assemblée qui nous fit tous sursauter, sauf mon ami qui domina ses émotions. Un grand cri se fit entendre, suivi d'un chœur entier de voix ténébreuses. Et ELLE. Gertrude Masson parut sur la table de pierre, vieillarde tordue, pliant sous le poids de sa hargne. Elle ne semblait pas seule.

Léo se mit à dialoguer avec notre fantôme. Les jeunes se cachaient les yeux, mais aucun d'eux ne chercha à quitter la grotte.

— Je crois qu'ils sont légion. Légion, c'est ça. D'autres l'accompagnent. Oh, mon dieu !

Léo plissa les yeux et se pencha sur son cahier qui semblait contenir les incantations nécessaires pour faire monter les âmes dans la lumière qui nous aveuglait tous. J'observais mes élèves et je m'aperçus que chacun d'eux devenait la proie d'un esprit qui vint se placer au-dessus de sa tête. Ils agitaient les bras pour se protéger. Léo paniqua.

— Que la lumière vous apporte la paix ! Que l'Au-delà vous apporte la fin de vos tourments et que la lumière vous apporte la paix, unique libération pour nous tous. JE VOUS L'ORDONNE par les pouvoirs qui me sont octroyés.

Gertrude s'immobilisa devant Jeanne qui semblait vouloir s'évanouir. Elle dit :

— Je vais la prendre ! Elle va m'emmener avec elle et les autres âmes s'en iront retrouver le Seigneur de la Nuit. Jeanne. Je sais qu'elle sera heureuse là où nous irons, elle et moi. Elle n'avait pas le droit de vivre alors que moi, j'étais dans le fluide de la nuit. Elle a accepté de me tenir la main pour entrer dans le tunnel.

Je consultai ma montre. Il était 13 heures 55. Je posai le regard sur Gertrude et Jeanne. Quelque chose de doux et de bénéfique se répandit sur les assistants, mais je n'arrêtais pas de me demander pourquoi Gertrude avait jeté son dévolu sur Jeanne.

Léo reprit la parole.

— Gertrude, va-t'en, maintenant ! Tu as trouvé ton âme amie. Tu ne pouvais pas trouver mieux qu'elle.

Pas mieux qu'elle. Elle est libre désormais et vous pouvez monter toutes les deux.

— Nous monterons vers le tunnel dans la vie astrale. Nous serons heureuses, car nous verrons la lumière. Elle n'aura plus mal et elle me demande de vous dire que vous ne devez pas avoir de peine pour elle.

Léo alluma un encens si persistant que nos yeux se mirent à pleurer. Deux boules de feu se formèrent au-dessus de chacun d'entre nous. Les âmes lâchaient prise. Tout à coup, derrière nous, dans un halo lumineux entouré de brume, nous vîmes déambuler une vieille dame maigre qui peinait à marcher. Elle emprunta la petite route blanche et s'avança près de la table de marbre. Léo s'égosillait.

— Partez, maintenant! Laissez-nous vivre notre vie terrestre jusqu'au jour où nous nous reverrons. Gertrude Masson, quitte cette vie!

— Je suis là, murmura une voix étrange.

La voix ne m'était pas familière, mais elle m'apparaissait très sympathique. Ce n'était pas la voix de celle à laquelle les jeunes pensaient.

— C'est Huguette, la jumelle de Gertrude. Elle est venue chercher sa sœur. Comment cela se peut-il? demanda Léo.

La voûte de la caverne s'entrouvrit dans un halo d'une lumière vive. Je me sentais bien, flottant dans une atmosphère inconnue et d'après mes observations, les jeunes se sentaient légers et remplis d'une grande béatitude. Je ne comprenais pas ce qui venait de se produire, mais je me fiais à Léo, qui avait attendu toute sa vie de parapsychologue pour vivre un tel événement. Il croyait, comme moi, à une vie extraterrestre où les esprits des décédés allaient attendre, dans un lieu de parfait bien-être, le moment propice pour revenir entreprendre une autre vie. La mort m'apparut moins amère, moins terrible. Je reconnus sans peine le fantôme d'un unijambiste que je crus être monsieur O'Toole, duquel on n'avait retrouvé que la jambe.

Jamais je n'ai eu l'occasion de voir une scène aussi touchante et j'espérai que les jeunes de la Brigade en gardent un puissant souvenir. Huguette s'approcha de sa sœur Gertrude et même si plus de soixante-quinze ans les avaient tenues éloignées, elles se reconnurent. Gertrude touchait les cheveux de sa jumelle et une aura d'argent les entoura des pieds à la tête. Les deux sœurs souriaient comme si le bonheur avait atteint son paroxysme et que cette rencontre, même tardive, représentait le but ultime de toute une vie.

Huguette et Gertrude avaient grandi l'une à côté de l'autre, légères et entrelacées dans le ventre de leur mère, elles avaient tout partagé. Enfants, elles avaient tout appris côte à côte et avaient mêlé les rires et les jeux, les larmes et les peines, mais jamais n'auraient-elles dû être séparées. La mort n'avait pas brisé leurs liens et voilà que devant nous, grâce à nous tous, elles se retrouvaient enfin. Je les observai et tous, Léo inclus, pleuraient sans retenue — même moi, dois-je avouer.

Nous vîmes ensuite monter deux vieilles âmes comme deux bulles qu'une entité aurait aspirées vers le ciel, entourées de celles des autres victimes venues accompagner les jumelles Masson. Le plafond se colmata et les lueurs qui avaient suivi les éclats de lumière cédèrent la place à la pénombre. Seuls quelques cierges demeurèrent allumés. Les jeunes flottaient encore dans une espèce de joie brute qui les faisait sourire les uns aux autres et se tenir la main. Jeanne vint vers moi et se jeta dans mes bras.

— Un moment, j'ai cru qu'elle prendrait grand-maman Simone. J'allais m'évanouir, Monsieur Jacques. J'aime tellement ma grand-mère! Depuis son accident, je ne cesse de penser à elle. Elle est presque aussi importante que mes parents. Je ne vis plus depuis qu'elle a eu cet accident.

Léo s'approcha de nous, suivi des autres. Marcel était encore sous le choc. Il me regarda, l'air ahuri.

— Tout est terminé, dit-il. Simone va bien, maintenant. Elle n'aurait pas voulu être dans le chemin.

Ce jeune homme, malgré son innocence, était particulièrement sympathique, même s'il arrivait parfois à me rendre mal à l'aise. Il avait gardé son cœur d'enfant, mais cela ne l'empêchait pas de réfléchir parfois comme un adulte doué d'une grande intelligence. Il était plus sensoriel et intuitif, je dirais. «Elle n'aurait pas voulu être dans le chemin.» Je supposai qu'il voulait parler du chemin d'Huguette. Léo riait tout en pressant contre lui chacun des jeunes.

— Merci, Léo, dit Justin au nom de ses camarades. Nous sommes libérés maintenant.

Nous nous rendîmes au village de Clarandale en chantant. À mon arrivée chez moi, je me demandai si Huguette était encore de ce monde. Sur mon répondeur téléphonique, Sylvette Audet, la secrétaire de Robert Carson, m'avait laissé un message qui me chavira. La secrétaire du curé Gagnon avait appelé: Huguette Masson-Gagnon était décédée le jour-même à 13 heures 13 pile. Je fis le calcul: son âme avait mis quarante-deux minutes avant de s'élever avec sa jumelle pour l'entraîner jusqu'à l'entrée du tunnel les menant à la Lumière. Je me rendis dans la chambre de Léo pour lui annoncer la nouvelle.

— Je ne suis pas surpris, non, pas surpris. C'est exactement ce que je croyais. Une âme met invariablement quarante-deux minutes pour quitter son corps, oui, son corps. Nous en avons la preuve, si tu dis qu'il était 13 heures 55 quand tu as consulté ta montre au moment où Huguette est arrivée. Elle est morte quarante-deux minutes avant de venir chercher sa sœur, c'est ça, sa sœur. Gertrude nous est apparue comme une vieille femme. Elle a attendu d'avoir le même âge que sa sœur pour ne pas détruire la relation gémellaire. Jumelles elles sont nées, jumelles elles auront joint l'Au-delà.

— Pourquoi Gertrude a-t-elle ciblé la petite Jeanne ? C'est ce qui m'embête le plus.

— J'y ai réfléchi, tu sais. Je crois que Gertrude a cru devoir quitter le monde avec grand-mère Simone. C'est ce qu'elle cherchait à faire, en tout cas. Oui, partir avec la grand-maman de Jeanne.

Je le pris dans mes bras. Je remarquai alors que mon ami avait rassemblé ses affaires personnelles. Il allait donc nous quitter ?

— Ce n'est que partie remise, mon cher Jacques. Une fois notre réputation faite parmi le monde des morts, la Brigade d'Hercule Poirot ne sera pas en reste, non, pas en reste !

— Que veux-tu dire ?

— Qu'il y en aura d'autres. D'autres âmes perdues se manifesteront sans doute à Clarandale. La Brigade s'est constitué une solide réputation dans l'Au-delà, dit Léo en éclatant de rire. Alors, je reviendrai si vous avez besoin de moi. Tu sauras où me joindre. Notre amitié est éternelle, tu sais, éternelle.

— Tu devrais devenir enseignant, comme moi. Un tuteur rempli de sagesse qui pourrait former des jeunes à la vie adulte. Tu vois, moi, je leur enseigne tout ce que je sais et j'ai la chance d'en connaître pas mal. La philosophie, les mathématiques, la littérature, l'art d'écrire...

— Ils sont chanceux, très chanceux, comme nous l'avons été. Tu te rappelles quand on était jeunes ? Tout nous intéressait.

— Je leur répète souvent que pour devenir un adulte branché, il faut deux choses : la curiosité...

— ... et le doute. C'est monsieur Lalande qui nous l'a appris au collège.

Nous bavardions depuis déjà une heure quand Jeanne et sa mère frappèrent à la porte, un large sourire aux lèvres.

— Ma mère s'est réveillée comme si rien n'était arrivé ! dit Louise. Je pars demain à l'aube pour aller la chercher. L'hydravion sera là à sept heures.

— Je m'excuse, Madame, mais j'ai une question très importante à vous poser, dis-je.

— Quoi donc ?

— J'aimerais savoir, si possible, à quelle heure exactement votre maman s'est réveillée.

— À quelle heure ? Je... l'ignore.

— Je peux le demander demain quand nous serons à l'hôpital, n'est-ce pas maman ? dit Jeanne. Monsieur Jacques, vous voulez savoir si son réveil correspond... commença-t-elle.

Elle s'interrompit, ne voulant pas dévoiler quoi que ce soit au sujet du départ des jumelles Masson et ainsi, inquiéter sa mère. Sûr que si leurs parents apprenaient quoi que ce soit au sujet de la Brigade d'Hercule Poirot, ils ne mettraient pas longtemps à tout connaître de ses activités et je savais que la plupart d'entre eux déménageraient leur famille ailleurs au Québec, n'hésitant pas à abandonner leur gagne-pain.

— Étonnants, ces cours de psychologie et de philosophie que vous offrez à nos enfants, dit Louise en s'adressant à Léo. Vous les faites réfléchir sur le sens de la vie. Depuis que vous êtes arrivé, Monsieur Lalumière, ma fille a beaucoup changé, elle est plus intéressée à reprendre ses cours. Elle est...

— ... plus mature, j'imagine, dis-je.

— Oui. Et elle est si attachée à ses amis. Il est rare pour une adolescente d'avoir de si bons amis, continua la mère de Jeanne. Dans mon métier, la socialisation est très importante chez les jeunes enfants. Apprendre à vivre en société, faire des concessions, lâcher du lest, c'est ce que moi et mes éducatrices tâchons d'apporter à nos petits mineurs. Je suis ravie de ce que vous apportez aux jeunes, messieurs, termina-t-elle à notre endroit.

— Mon ami Léo s'en retourne en Thaïlande à présent.

À l'air qu'elle affichait, Jeanne sembla éprouver beaucoup de peine. Elle s'approcha de Léo et l'embrassa tendrement sur la joue avant de nous dire :

— Je dois me rendre chez Marie-Laure. À bientôt, lança-t-elle.

Le soir-même, Léo avait terminé de faire ses bagages. Il avait ajouté des morceaux de pierres provenant de la mine en se disant assuré qu'ils contenaient des pépites d'or. Il avait également glissé dans ses valises des cônes de pin gris, des formes très évoluées de papillons de nuit et... la photo de l'infirmière de la mine. Cette découverte me renversa. Les samedis soirs, alors que je croyais Léo en train de souper dans quelques familles qui aimaient l'inviter à manger pour son extrême originalité, il me confia, la veille de son départ, avoir fréquenté Yolaine Viau et en être littéralement tombé amoureux. Il m'annonça qu'il allait d'ailleurs passer la soirée chez elle pour les adieux. Je n'en revenais pas. Léo et Yolaine formaient un couple qui allait devoir user de patience, car je ne savais pas comment ils allaient manœuvrer pour se revoir.

Jeanne et Marie-Laure n'avaient pas chômé et avaient entraîné le reste de la bande avec elles : la Brigade d'Hercule Poirot allait faire les choses en grand et ne pas laisser Léo quitter Clarandale sans lui organiser une fête de départ. Chers enfants !

On convia tous les habitants du village, soit 213 personnes, dans la salle communautaire pour 20 heures. Jeanne — puisque mes jeunes étaient depuis quelques semaines dans le secret des dieux — avait invité Yolaine Viau qui, elle aussi, avait gardé le secret. Chacun de mes élèves avait préparé un petit laïus pour dire adieu à mon ami Léo. Justin présidait la cérémonie d'adieu. J'avais, moi aussi, préparé un petit mot.

Ce départ me permit de constater à quel point l'amitié est une chose précieuse. L'amitié qui nous rassérène et qui permet qu'une âme sœur puisse analyser nos comportements sans que l'on en soit vexé, qui partage nos joies comme nos peines, et pour qui le silence est aussi une forme bienfaisante de langage. Léo avait vécu chez moi, vieux célibataire déçu que j'étais, sans que je ressente sa présence autrement que dans les circonstances heureuses.

Il plaçait le pain dans le frigo, rangeait le savon à vaisselle dans l'armoire du haut, ne faisait pas son lit parce qu'il allait s'y coucher le soir-même, et prenait son plus gros repas à six heures, sortant son armada de casseroles et de vaisselle avant d'aller marcher dans le cimetière durant une heure. Pas une seule fois ne m'avait-il agacé. Il était tellement intéressant, si joyeux et reconnaissant de ce que la vie lui apportait que lorsque je compris qu'il retournait avec ses bambous et ses orchidées, et, je l'espérais, une fiancée qui ne demandait que de connaître cette merveilleuse contrée après dix années passées dans la poussière noire, je constatai que jamais je ne m'étais ennuyé une seule seconde en sa présence.

Que pouvais-je enseigner de plus essentiel à mes cinq jeunes que l'importance de ce sentiment paradoxal qu'est l'amitié entre deux êtres dotés d'envie, de compétition, de trahison ? Entre Léo et moi, l'attachement venait de l'adolescence, de l'intelligence et de l'humour. Rire, se moquer de soi-même, et toujours chercher quelque chose à explorer dans tous les recoins de la planète.

197

J'allais me servir de notre expérience à tous les huit — n'oubliez pas : huit, la vie, la mort et la vie de nouveau à l'infini — pour bâtir mes cours pour le reste de l'année.

La fête de départ allait bon train lorsque mes élèves prirent la parole. Justin commença :

— Cher Léo, jamais mes amis et moi n'oublierons votre séjour à Clarandale au cours duquel nous avons appris que l'amour est toujours vainqueur, qu'il ne faut jamais rien prendre pour acquis et que la vie d'adulte est quelque chose qui se prépare, même dans un contexte où nous devons nous marginaliser, puisque nous avons la chance de vivre avec nos familles dans un lieu qui nous permet d'apprécier l'amitié, le respect et l'amour.

Petit Thomas suivit :

— Merci pour tout, Léo. Par votre originalité, vous nous avez appris que la différence est un atout pour cette société et qu'elle nous permet de devenir des chercheurs de l'originalité que nous offre la nature.

— À moi, Léo, vous m'avez appris beaucoup au sujet de l'âme parce que vous lui consacrez une très grande importance. J'ai aussi appris que la colère s'estompe quand on comprend l'importance de l'imaginaire, exprima Marie-Laure en fixant Justin avec tout l'amour du monde.

Jeanne enchaîna :

— L'humour, l'originalité, la marginalité, la recherche de l'improbable… J'ai tout aimé de votre personnalité et j'ai compris que nous sommes tous les artisans de notre bonheur. Vous avez, en quelque sorte, sauvé ma grand-maman que j'aime tant.

Simon n'avait rien écrit. Il se posta auprès de Léo, qui avait du mal à ne pas se mettre à brailler, et lui offrit une boîte ornée d'un ruban orangé.

— C'est de nous tous, dit-il.

Léo ouvrit la boîte en présumant qu'elle renfermait une fée, une sorcière, un grimoire, une parcelle de nuage, un python de Seba… En ouvrant la boîte, il se fit silencieux, ému. Elle contenait une réelle pépite d'or offerte par monsieur Carson.

— Il arrive que, dans une mine de charbon, on puisse trouver par hasard une pépite d'or. C'est comme vous, Léo, commença Robert Carson.

— Elle vaut plus de deux mille dollars, et c'est pour vous remercier, Léo, dit grand-mère Simone. Quand vous vivrez des jours plus difficiles. Vous allez voir, les femmes coûtent cher, vous savez.

Tous se tournèrent vers Yolaine Viau qui, sans parader, se tenait en habit de voyage, sa malle de cuir près d'elle. Léo se prit la tête à deux mains, en riant.

— Tu pars avec moi, ma dulcinée ? Tu pars en Thaïlande avec moi ? Je vais... je vais mourir de bonheur.

Il s'avança et comme dans les bons films d'amour, il embrassa son infirmière avec passion. Tout le monde applaudit. J'avais des larmes plein les yeux. Je songeais à ma Sophie.

* * * *

Je termine ici. Après les événements, l'année se passa avec tellement d'enthousiasme que mes élèves se classèrent parmi les premiers aux examens officiels de la commission scolaire du Nord, à laquelle j'appartenais. Je reçus même une lettre du président du Conseil des commissaires qui me félicitait de la qualité de mon enseignement « qui se situe nettement au-dessus des exigences pédagogiques du ministère de l'Éducation en matière d'instruction dans des conditions exceptionnelles ». Je me disais que Jeanne, Marie-Laure, Simon, Justin et Petit Thomas — surtout lui, qui avait rejoint la Brigade en termes d'apprentissage malgré ses 13 ans et demi — auraient mérité, eux aussi, l'admiration de monsieur le président pour leur qualité exceptionnelle d'apprentis.

Le spectacle de fin d'année ressemblait à un triathlon : une pièce de théâtre, un récital de musique, la *Symphonie de l'âme égarée* qu'avaient écrite Justin et Marie-Laure avec très peu de mon aide, et un récital de poésie orchestré par Marie-Thérèse Hébert.

Mes étudiants avaient appris beaucoup, comme je l'avais prédit, au niveau de la pensée philosophique qui consiste à établir et à expliquer la présence de l'Homme sur cette planète, ainsi que la relation entre la vie et la mort. Nous n'avions plus peur de mourir. Léo avait tenu à nous laisser à tous ce merveilleux héritage.

Lui-même m'annonça ses fiançailles avec Yolaine Viau et l'implication de l'infirmière dans un établissement de soins dévolus aux personnes agonisantes dans ce paradis de la Thaïlande qui traitait l'âme à tous ses égards. Je savais que mes élèves et moi, ainsi que Gertrude Masson, y étions pour quelque chose et cela me remplit de fierté.

Une fois par mois, l'une des cinq familles recevait mes élèves et leur professeur pour un repas gastronomique, puisque Josiane Fortin-Delisle, la maman de Simon, avait ajouté au cursus de ma classe des cours de cuisine : salades, sauces, rôtissage de viandes sauvages et desserts étaient au menu. La gastronomie ne fait-elle pas partie des petits bonheurs de la vie ?

J'espère vous retrouver
dans ma prochaine aventure :

SONATE POUR
CHARLES DICKENS

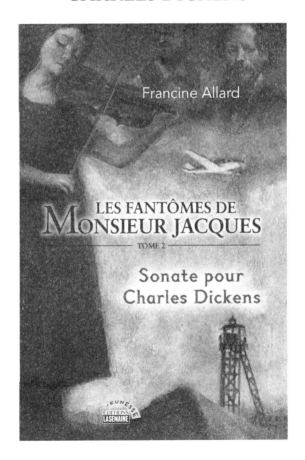